추자도 50p

사라봉 22

용담 30p

이호테우 34p

연북로 26

신제주 16p

애월 308p

한라수목원 46p

한담 312p

제주

한림읍

애월읍

비양도 286p

노꼬메오름 304p

협재 294p

금오름 282p

금능 278p

월령 290p

새별오름 300p

서부

신창 272p

영실 21

한경면

생이기정 264p

수월봉 268p

서귀포

안덕면

대정읍

새서귀포 200p

서구

20

안덕 236p

중문 224p

용머리해안 240p

대포주상절리
220p

용왕난드르 216p

강정 192p

법환바당 196

사계 232p

알뜨르 258p

송악산 254p

가파도 246p

마라도 250p

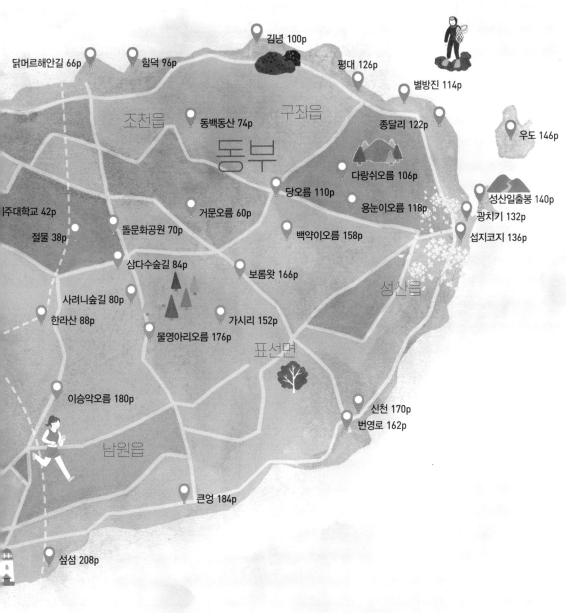

제주를 달리는
64가지 방법

제주를 달리는 64가지 방법

-64명의 러너가 추천하는 제주 러닝 코스

초판 1쇄 인쇄일 2021년 9월 7일
초판 1쇄 발행일 2021년 9월 13일

지 은 이 안정은, 최진성
펴 낸 이 양옥매
디 자 인 임흥순, 김영주
교   정 조준경

펴낸곳 도서출판 책과나무
출판등록 제2012-000376
주소 서울특별시 마포구 방울내로 79 이노빌딩 302호
대표전화 02.372.1537   팩스 02.372.1538
이메일 booknamu2007@naver.com
홈페이지 www.booknamu.com
ISBN 979-11-6752-025-8 (03910)

제주를 달리는 64가지 방법

64명의 러너가 추천하는
제주 러닝 코스

안정은 최진성 지음

책과나무

"요즘 어떵들 지냄수과?
제주 바당에 근심 걱정 몬딱 던져불고 고치 도름박질해 보게 마씸?
몸도 모음도 가볍게 놀멍 놀멍 봅서!"

아름다운 우리의 제주 언어, 어디까지 이해하셨나요?

『서울을 달리는 100가지 방법』에 이어 2탄 『제주를 달리는 64가지 방법』이 세상 밖으로 나오게 되었습니다. 가장 좋은 러닝 코스를 꼽자면 늘 제주도가 일 순위였는데요. 바람, 흙, 오름, 내음, 언어까지 어느 하나 빠지는 것 없기 때문이죠. 인사드린 제주 언어는 아래와 같은 뜻을 갖고 있어요.

"요즘 어떻게 지내시나요?
제주 바다에 모든 걸 훌훌 던져 버리고 함께 달려 볼래요?
몸도 마음도 가볍게 천천히 둘러보세요!"

모두가 어두운 터널 안을 지나고 있는 요즘, 내딛는 걸음은 불안하지만 우리는 일상의 소중함을 발견하게 되었습니다. 가족과의 시간, 시원한 콧바람, 그리고 마음의 여유가 중요하다는 것을 알게 되었죠. 마음 근육을 기르기 위해 저마다의 방법으로 달리는 러너도 많아졌습니다. 달리기는 낯선 곳을 '여행'하는 가장 완벽한 방법이자, 마음의 여유를 선물하는 '치유'의 시간입니다. 비행기에 오르는 순간, 근심과 걱정은 던져 버리고 자유로움만 간직한 채 달려 보세요. 알고 나면 더욱 재미있는 제주의 언어처럼 코스 정보부터 주의점, 포토 스폿, 주변 관광지와 먹거리까지 『제주를 달리는 64가지 방법』 한 권이면 제주를 온몸으로 느낄 수 있습니다.

어디를 달려도 환상적인 제주이지만, 오름과 바다, 그리고 도심을 적절히 배치했습니다. 제주 여행 중에도 달리기를 즐기고 싶은 러너라면, 가족과 친구에게도 달리기의 매력을 소개하고 싶다면 이 책과 함께 달려 보세요. 제주를 달리는 길 끝에 서면 제주스러우면서도 독보적인 자연경관이 펼쳐질 것입니다. 달리면서 제주의 정경을 만나는 즐거움과 '운동 종료' 버튼을 눌렀을 때의 성취감, 그리고 제주의 멋과 맛에 취해 보시길 바랍니다. 당신의 러닝길에 이 책이 길잡이가 되길 바랍니다.

길 끝에서 만난 64팀의 러너, 제주의 속살로 안내해 준 제주도의 러닝크루, 오랜 시간 기다려 주신 독자분들, 그리고 늘 응원해 주는 가족에게 감사의 인사를 전합니다.

러닝전도사 **안정은**
달리는 사진가 **최진성**

'제주를 달리는 64가지의 방법'은 이렇게 활용해 보세요!
어디서든 함께 달려 주는 내 손안의 든든한 페이스메이커가 되어 줍니다.

이 코스를 달리면?
해당 러닝 코스를 달릴 때의 기분을
한 줄로 표현합니다. 러너의 기분을
느껴 보세요.

내 손안의 러닝맵
지도에 표시된 러닝 코스를 따라 달려 보세요.
관광지 관람 및 주차 등의 편의로 인해 출발과
도착을 지정하였지만, 원하시는 곳에서 달리기
를 시작하거나 마무리해도 좋습니다. 또한 화살
표로 이어진 이동 경로를 따라 러닝을 즐기시면
더욱 잊지 못할 러닝이 완성됩니다.

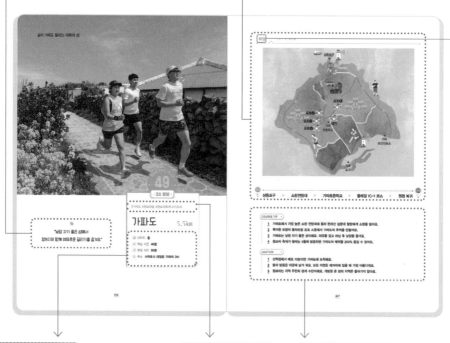

러닝코스 정보를 한눈에
러닝 코스 이름, 총 거리와 난이도, 러닝 및 워
킹 소요 시간, 주소를 알려 줍니다. 러닝 및 워
킹 시간은 초급 러너를 기준으로 작성되었으며
제주 지형 특성상, 평지와 언덕이 함께 공존하
는 코스가 많으니 단순 로드 달리기 시의 페이
스속도와는 차이가 발생합니다.

놓치지 말아야 할 포인트
해당 러닝 코스의 특징을
한눈에 보여 줍니다. SNS
에 인증 포스팅을 할 때에
도 유용하겠지요?

러닝 코스 팁과 주의사항
실제 달려 본 러너만이 알 수 있는
코스 팁이 담겨 있습니다. 놓치지
말아야 할 포인트와 안전 수칙도 있
으니 반드시 확인 후 달려 주세요.

일러두기

이 책은 두 명의 러닝 전문가와, 64팀의 러너가 제주를 함께 달리며 만들어낸 제주도 달리기 여행책입니다. 책에 수록된 오름과 관광지, 맛집 등의 정보는 2020년 4월부터 2021년 8월까지 취재된 자료를 바탕으로 만들어졌습니다. 최대한 최신의 알찬 정보를 전달하기 위해 끊임없이 업데이트 했지만, 코로나19 확산 방지를 위해 임시 휴관하거나 사전 예약을 통한 인원수 제한을 두는 등 변경된 정보가 생길 수 있습니다. 또한, 영업시간 및 메뉴 등의 변동이 있을 수 있으니 반드시 방문하시기 전에 확인 후 여행하시기를 추천드립니다.

뛰멍과 놀멍

'멍'은 제주어로 '~하면서'라는 뜻을 갖고 있어요. 달리고 놀면서 제주 여행을 완성해 보세요.

코스 설명과 러닝 STORY

모두 저마다의 이야기가 다르듯, 달리는 64팀의 이야기도 다릅니다. 이는 64가지의 달리는 동기부여가 되기도 해요. 런태기러닝+권태기가 왔다면 러너와 코스에 얽힌 이야기를 통해 함께 호흡하며 달리는 기분을 느껴 보세요! 여러분의 비밀 페이스메이커가 되어 줍니다.

관광지와 먹거리까지

달리기 후에는 건강한 먹거리와 관광이 필수이죠. 달리기만 하고 돌아오기 아쉬울 때에는 '놀멍'을 눈여겨보세요!

러닝 전문 사진작가의 추천 포토스폿

지도에 표시된 포토 스폿 번호 포토❸◯ 을 따라가면 만날 수 있는 러닝 사진 명소❸입니다. 달리기 여행을 더욱 알차게 만들고 싶다면 포토 스폿에서 사진처럼 달려 보세요. 런생샷러닝인생사진은 덤이에요!

두 작가가 알려 주는 Editor's TIP

취재 중 새롭게 발견한 작가들의 다양한 노하우를 담았습니다. 두 작가와 함께 여행하는 즐거움을 더해 보세요.

CONTENTS

서귀포 서귀포시

서부 안덕면 | 대정읍 | 한경면 | 한림읍 | 애월읍

제주도 안전 달리기 여행 가이드

제주 제주시 | 추자면

서광이 비추는 이호테우

이호테우 하늘에 서광이 그윽해지면 여행자들은 하나둘씩 모여 이호항을 거닌
다. 이윽고 바다는 붉은빛을 머금고 하늘과 바다의 경계가 모호해져 간다. 조랑
말 형상을 한 등대가 그 간극 사이에서 노닐고 있다. 이곳에서 노을이 진다는 것
은 하루 일과를 끝낸 뗏목(테우)이 해변에 계류하는 것이요, 여행자가 마지막으
로 머무는 곳이기도 하다. │ 이호테우 p.34

용담 제주시 용담동
감귤빛으로 물드는 해안도로

새로운 랜드마크의 등장

01

코스 정보

#제주드림타워 #도두봉 #도두항
#제주국제공항

신제주   9km

"서울의 시티런은 빌딩 사이의 하늘을 봐야 하지만
제주는 별이 뜬 맑은 하늘을 보며 달릴 수 있어요."

- 난이도   중
- 러닝 시간   90분
- 워킹 시간   150분
- 주소   제주시 노연로 12 제주드림타워

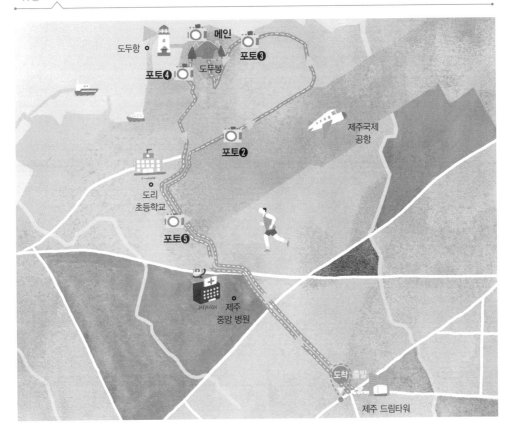

 제주 드림타워　＞　도두봉　＞　도두항　＞　도리초등학교　＞　원점 복귀

COURSE TIP

1 노을이 질 때 달리기를 시작해 노을과 야경을 모두 즐겨 보세요.

2 이착륙하는 비행기와 함께 인생 사진을 남겨요.

3 제주 드림타워는 제주 시내 어디서든 볼 수 있어요. 등대라 생각하면 힘이 나요.

CAUTION

1 제주 시내답게 차량이 많아요. 건널목을 지날 때는 걸어서 이동해요.

2 공항 외각로의 철책은 보안을 위해 사진 촬영이 금지되어 있어요.

3 공항 외각로에 들어서면 어두우니 조명이나 안전등을 착용하는 것이 좋아요.

제주러닝크루, JEJURC의 리더 **임승범 님**

제주의 밤은 고요함 덕분에 제주 자연의 소리를 온전히 느낄 수 있다. 제주의 밤을 달릴 수 있는 러닝 코스를 소개한다. 많은 관광객이 오가는 노형오거리의 새로운 랜드마크인 제주 드림타워에서 시작된다. 이곳을 시작으로 제주공항 옆길을 지나 도두항을 거쳐 도두봉까지 오른다. 10분이면 오르는 작은 오름이라 큰 힘 들이지 않고 오를 수 있으며 정상에서 바다와 함께 펼쳐지는 비행기의 이착륙을 보며 여행자의 기분을 느낄 수 있다. 시내에 위치해 있고 공항과 가까워 누구나 언제든 찾을 수 있다. 서울의 시티런은 높은 빌딩 사이로 하늘을 봐야 하지만, 제주의 시티런은 별이 뜬 밤하늘을 보며 달릴 수 있다.

제주의 러닝크루, JEJURC를 운영하는 임승범 님은 영화 속 조깅하는 장면을 보고 덩달아 가슴이 뻥 뚫리는 자극에 집 밖을 달렸다. 영화에서 느꼈던 감정 그대로를 느끼면서 달리기는 일상이 되었다. 2년 전 제주 여행에서도 일상처럼 해안가를 달리는데 지금까지의 달리기와는 다른, 자연과 함께하는 달리기를 경험했다. 결국 좋아하는 자연을 선택해 제주로 이주했다. 육지와 다르게 달리기 인구가 적다는 것을 알게 되었고, 크루를 만들어 달리기의 매력을 제주의 친구들에게도 전하고 싶었다. 그래서 탄생한 것이 JEJURC다. 크루를 통해 제주의 2030과 이주민, 토착민이 소통하고 더 나아가 젊은 열정으로 제주의 지역사회에도 힘이 되고 싶다고 그는 말한다. 해외 런트립도 좋지만, 최고의 런트립 장소는 제주도다. 바다와 산, 오름의 풍경을 모두 갖춘 런트립의 도시. 그와 크루 멤버들은 제주를 달리고 싶어 하는 2030 청년들과 함께 달리길 두 팔 벌려 환영하고 있다.

놀멍   LET'S ENJOY

도두봉   비행기 뜨고 내리는 바다의 전경

제주 공항에서 가장 가까운 오름으로 경사가 완만해 누구나 오르기 쉽다. 풀밭과 삼나무, 낙엽수 등이 어우러져 숲을 이루고 길도 잘 닦여 있다. 정상에 오르면 비행기의 이착륙도 볼 수 있는데 바다 전망이나 노을과 함께 만나면 잊지 못할 장관이 펼쳐진다. 또한, 도두항이 손에 닿을 듯 가까이 보인다. 도두항 역시 포토존으로 유명하며 추자도행 낚싯배들이 출항하는 곳으로 많은 낚시꾼이 찾는다.

◉ 제주시 도두일동 산2

솔지식당   현지인 추천, 멜조림과 도새기가 유명한 집

잘 익은 고기를 멜 조림에 찍어 쌈과 함께 먹으면 입안 가득 제주의 향이 퍼진다. 비린내가 없고, 짜지 않아 장 대신 먹을 수 있다. 특히, 파채 대신에 무채를 구워 먹으면 청량하고 아삭한 식감이 입안을 감싼다. 밥 한 공기를 주문해 멜 조림과 비벼 먹자. 멜 조림 밥이 짜다면 그 위에 두부를 얹어 간을 맞추면 된다. 공항 근처에 위치해 제주에 도착하자마자, 혹은 집으로 돌아가기 전에 누구나 쉽게 방문할 수 있다.

◉ 제주시 월랑로 88   ☏ 0507.1315.0349

Editor's TIP

이 코스를 달리다 보면 종종 러너를 만나게 돼요.
지나가면서 서로 응원해 주면 힘이 나요.

제주드림타워 국내 유일의 도심형 복합리조트

제주도에 새로운 랜드마크가 등장했다. 최고 높이 38층으로 만들어진 제주도심에 위치한 제주 드림타워 복합 리조트다. 제주공항과 국제 크루즈 터미널에서 차로 10분 이내에 닿는 거리라 누구나 쉽게 방문할 수 있고, 1,600개의 올 스위트 객실과 14개의 레스토랑, 8층 야외 풀데크, 38층 스카이데크를 비롯해 각종 전시와 박람회가 가능한 마이스까지 갖췄다. 외국인 전용 카지노도 문을 열었으니 그로 인한 지역경제의 활성화가 기대된다. 제주 드림타워의 등장으로 낮에만 관광 초점에 맞춰진 제주도지만, 밤에도 즐길 거리와 놀 거리 가득한 곳으로 탄생하게 된다. 익사이팅 제주. 제주의 밤을 밝히는 곳이다.

⊙ 제주시 노연로 12 제주드림타워   ☏ 064.907.1234

🌐 https://www.jejudreamtower.com/kor/

정주석과 정낭 　고구려부터 이어진 제주의 대문

제주의 대문은 돌기둥과 나무 막대로 이루어져 있다. 3개의 구멍이 뚫린 우뚝 솟은 돌 '정주석'에 나무 막대 '정낭'을 걸치는 방법에 따라 집 안 상황을 알려 주는 제주의 인적 정보다. 정낭 3개가 모두 내려져 있으면 "집에 사람이 있으니 들어오세요."라는 의미이며, 정낭 1개가 걸쳐 있다면 "잠시 외출 중이니 금방 들어옵니다.", 정낭 2개가 걸쳐 있으면 "이웃 마을에 있으니 오늘 안으로 돌아옵니다.", 그리고 정낭 3개가 모두 걸쳐 있으면 "멀리 외출했으니 며칠 있다가 돌아옵니다."라는 뜻이다. 대문 없는 제주에서 늘 손님을 맞이하는 제주도민의 인심이 느껴지는 생활 풍습이다. 제주 러닝 코스 1번을 시작으로 열린 대문처럼 열린 마음으로 제주 러닝을 시작해 보자.

제주 10경의 유일한 노을, 사봉낙조

#사라봉 #제주항국제여객터미널 #동부방파제
#제주동문시장 #산지등대

사라봉   4.5km

"고운 비단이라는 이름에 걸맞게
정상에서 바라본 붉은 바다는 비단처럼 빛나요."

- 난이도   **중**
- 러닝 시간   **40분**
- 워킹 시간   **70분**
- 주소   **제주시 건입동 484**

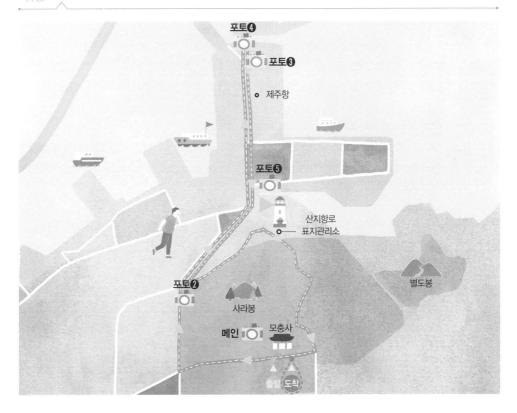

포토❹

포토❸

제주항

포토❺

산지항로
표지관리소

포토❷

별도봉

사라봉

메인 📷 모충사

출발 도착

 모충사 입구 　▷　 제주외항 　▷　 산지등대 　▷　 원점 복귀

(COURSE TIP ●)

　1　 오르막이 심한 구간도 있어요. 처음부터 무리하지 말고 체력을 배분해요.

　2　 사라봉은 일몰과 일출 모두 좋아요. 아침에도 달려 보세요.

　3　 사라봉 정상에서 노을을 기다려요. 태양을 가로지르는 비행기를 만날 수도 있어요.

　4　 별도봉이나 사라봉까지 곧장 올라 더욱 다양한 코스를 만들어 보세요.

(CAUTION ●)

　1　 산책하는 주민이 많아요. 보행자를 조심해서 달려요.

　2　 함께 산책하는 반려견 역시 많아요. 부딪히지 않도록 주의해요.

　3　 제주항으로 가는 내리막은 경사가 심해요. 무릎에 충격이 가지 않도록 속도를 늦춰요.

　4　 사라봉 주변으로는 주택가가 많아요. 큰 소음을 내지 않아요.

함께 달리는 기쁨을 나누는 **김동주 님**

제주의 또 다른 이름은 영주. 신선이 사는 곳이란 뜻이다. 제주에서 특히 아름답다고 손꼽히는 비경을 모아 '영주 10경'을 만들었다. 그중 제2경에 속하는 '사봉낙조'를 만날 수 있는 사라봉이다. 김동주 님은 스트레스받거나 마음의 안정이 필요할 때면 홀로 집 앞의 운동장을 달렸다. 그러다 제주의 러닝크루를 알게 되어 본격적으로 함께 달리기 시작했다. 어느새 5년 차가 된 그는 홀로 달리는 것도 좋지만 크루 활동을 통해 함께 달리는 것을 적극 추천한다. 함께 마라톤 대회에 참가해 나만의 기록도 만들고 크루원들 간의 추억도 쌓으며 러닝을 더욱 오래 즐길 수 있다. 그가 그렇게 크루들과 함께 달렸던 소중한 추억 가득한 사라봉 러닝 코스를 소개한다.

사라봉은 제주항 바로 아래에 있는 제주시 대표 오름으로, 정상에 오르면 푸른 바다와 한라산을 볼 수 있고 제주 시내까지 한눈에 조망 가능하다. 특히, '사봉낙조'라 불리며 해 질 녘에 사라봉 주위를 달리고 정상에서 바라보는 노을은 힐링 그 자체다. 고운 비단이라는 이름에 걸맞게 붉은 바다는 비단처럼 빛난다. 짧은 업힐up hill 구간으로 훈련은 덤이다. 팔각정과 의병 항쟁 기념탑 등의 볼거리 가득하며 곳곳에 음수대와 화장실 등 편의 시설도 있다. 관광객뿐 아니라 도민과 대학교 운동부 학생들도 러닝, 사이클, 걷기, 배드민턴 등 각자의 방식으로 운동을 즐기는 공간이다. 제주항의 끝까지 달렸다가 되돌아오면 제주를 200% 즐길 수 있다. 해가 진 밤에도 무섭지 않은 이곳. 제주 도민들의 놀이터를 달리며 진짜 제주 도민이 되어 보자.

놀멍 LET'S ENJOY

제주동문시장 제주에서 가장 오래된 전통시장

1945년에 세워진 제주동문시장은 제주의 대표 시장으로 공항과 가까워 대부분 여행객의 첫 방문지이자 마지막 방문지다. 채소와 생선, 과일 등을 포함해 수산물, 고기, 생활용품까지 없는 것이 없다. 횟집도 있어 즉석에서 싱싱한 회를 먹을 수 있다. 간식 먹거리도 유명한데 오메기떡, 대게 그라탕, 문어빵, 우도땅콩 아이스크림 등 시장 음식을 먹기 위해 방문하는 이들도 적지 않다. 제주 도민들의 삶을 가까이서 느껴 보자.

◉ 제주시 관덕로14길 20   ☎ 064.752.3001
🔗 http://dm.market.jeju.kr

하멜치즈몽 제주의 빵지순례 필수코스

제주의 신선한 우유와 수제 크림치즈로 만든 치즈케이크 맛집. 치즈가 듬뿍 들어가 풍미가 더해지며 폭식하고 부드러워 입안에 넣는 순간 사르르 녹는다. 한 박스에 8개의 치즈케이크가 들어 있으며 방문 구매나 방문 예약만 가능하다. 정오면 매진되니 오전 중으로 방문하는 것이 좋다. 1인당 1박스만 구매 가능하며 사전 예약 시에는 1개 이상 구매할 수 있다.

◉ 제주시 노형2길 51-3   ☎ 0507.1311.1653

Editor's TIP
카메라를 바닥에 놓고 타이머를 맞춘 뒤, 그 위를 점프하듯
달리면 포토스폿 3번과 같은 사진을 찍을 수 있어요.

4개의 다리를 이어, 달리기 좋은 도로

#연북로 #연북2교 #탐라원 #탐라문화회관
#애향운동장

연북로   8.8km

- ◍ 난이도 중
- ◎ 러닝 시간 60분
- ◎ 워킹 시간 130분
- ◎ 주소 제주시 아라일동 2459-1

"제주에서 보기 드문
일직선 코스를 달리는 쾌감이 있어요"

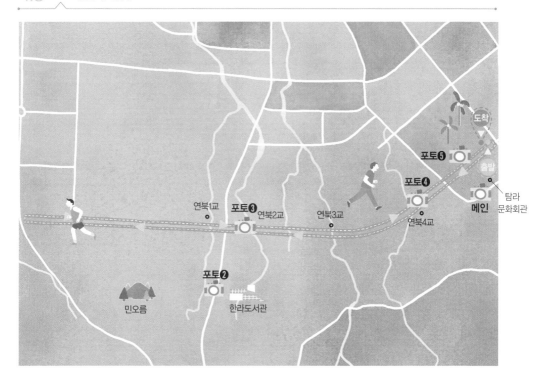

 탐라문화회관　　▶　　연북로 정실입구사거리　　▶　　원점 복귀　

COURSE TIP

1 제주 시내에도 야자수가 있어요. 하나씩 지나며 에너지를 얻어 보세요.

2 8.8㎞가 길다면 다리를 목표 삼아 조금씩 거리를 늘려 보세요.

3 연북 3교 근처에는 도심 속 걷기 좋은 '오라올레길'도 있어요.

CAUTION

1 안전을 위해 신호등은 반드시 걸어서 이동해요.

2 차도와 보도를 구분하는 연석이 있으니 발밑을 조심해요.

제주를 달리는 주방장 전성환, 오윤길 님

전성환 님은 12년차 달리는 주방장이다. 그는 달리기를 통해 두 번의 인생 역전 기회를 얻었는데 첫 번째는 여러 번의 사업 실패 후, 두 번째는 술과 담배에 의존하며 망가졌을 때, 달리기를 시작하게 된 것이다. 고통스러웠지만 흐르는 땀과 함께 스트레스가 해소되니 술과 담배와는 비교도 안 될 정도로 상쾌했다. 그렇게 조금씩 세상 밖으로 나왔고 제주에서 짧은 휴식을 보내던 중 이곳이라면 다시 할 수 있겠다는 생각에 제주로 내려왔다. 낯선 타지이지만 달리기와 그를 찾아 주는 러너로 인해 제주 생활에 적응할 수 있었다. 지금은 에너지 충전을 위해 잠시 휴식을 갖는 중이다. 하지만 머지않아 이곳에서 가게를 밝히는 네온사인을 켤 예정이다. 그는 달리며 인생이 바뀌었다고 말한다. 러너들의 런베이스가 되고 싶은 그는 오늘도 달린다.

많은 손님에게 긍정의 에너지를 주는 그는 매일 아침 연북로를 달린다. 러닝메이트 오윤길 님과 함께 달리며 서로에게 큰 의지가 된다. 서로의 페이스메이커가 되며 긴 거리와 긴 인생길을 달리는 이유다. 탐라문화회관에서 시작한 달리기는 연북 4교부터 연북 3교, 2교, 1교까지 4개의 다리를 건너며 다시 출발점으로 돌아온다. 제주에서 보기 드문 6차선의 넓은 도로에 신호등도 많지 않은 일직선 코스라 달리는 쾌감이 있다. 또한, 다리마다 모양이 달라 다리를 구경하며 달리는 재미까지 더한다. 왼쪽으로는 한라산, 오른쪽으로는 바다의 수평선이 보여 시야가 뻥 뚫린다. 시내 곳곳의 야자수는 이국적인 풍경을 선사해 덩달아 기분까지 좋아진다. 봄이면 길을 따라 벚꽃잎이 함께 달려 주니 빨리 달리고 싶어도 빨리 달릴 수 없는 천혜의 경관이다.

애향운동장 　한라산을 보며 달리는 400m 트랙

제주종합경기장에는 주경기장과 애향운동장, 두 개의 400m 트랙이 있다. 그중 애향운동장은 이른 아침에도 불이 켜질 만큼 많은 도민이 나와 운동을 즐긴다. 특히, 한라산이 트랙 한가득 들어어 있어 한라산을 향해 달리는 제주도다운 트랙이다. 운동선수들의 전지훈련 장소이자 이미 많은 러너가 함께 달리고 있어 혼자 달리더라도 외롭지 않다.

⊛ 제주시 오라일동 1006

갓포제호 　제주에서 맛보는 일식당

제주 바다향을 가득 담은 사시미와 해물 나베가 맛있는 일식당이다. 냄비에 정갈하게 담겨 있는 해산물과 국물은 따뜻하게 몸을 데워 주며 대접받는 기분이다. 기본 해물 나베 외에도 매생이나 자연송이 등 자연 재료를 추가해 본연의 맛과 향을 돋우는 메뉴도 있다. 구이나 조림, 튀김 등 취향대로 즐길 수 있도록 다양하게 준비되어 있으니 깔끔하고 신선한 일식당을 찾는다면 갓포제호를 추천한다.

⊛ 제주시 구남동6길 23 　🕿 064.723.3678

Editor's TIP

제주도의 대표 가로수인 먼나무의 열매가
빨갛게 올라오는 초봄에 달리면 더욱 좋아요.

용이 품는 제주 시내와 해안도로

04

· 코스 정보 ·

#용두암 #산지천 #어영공원 #탑동광장
#용담해안도로

용담   11.8km

"파도와 비행기 소리를 들을 때면,
내가 제주에 왔구나 하는 사실만으로 행복해져요."

- 난이도 중
- 러닝 시간 100분
- 워킹 시간 150분
- 주소 제주시 일도일동 1230-5

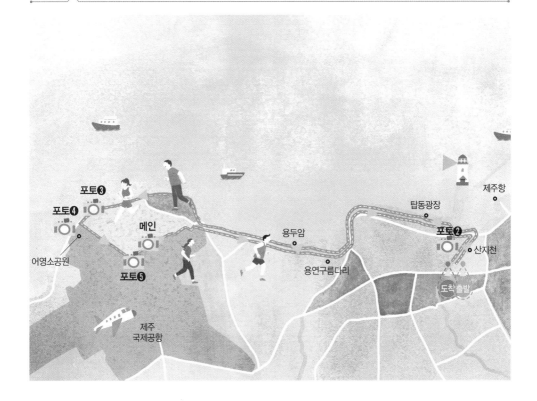

제주항

탑동광장

용두암

포토❷ 산지천

포토❸

포토❹

어영소공원

메인

용연구름다리

포토❺

도착·출발

제주
국제공항

 출발
 도착

북수구공영주차장 ＞ 산지천 ＞ 탑동광장 ＞ 용두암 ＞ 어영소공원 ＞ 원점 복귀

COURSE TIP

1 코스가 길다면, 용두암 공영주차장에서 시작해도 좋아요.

2 아무 생각 말아요. 먼바다를 바라보며 달리면 어느새 도착해 있을 거예요.

3 한여름 밤에는 수평선을 가득 채운 한치 배들이 빛나요. 달리며 옆도 봐 주세요.

4 달리다 보면 곳곳에 쉼터가 많아요. 제주를 느끼며 잠시 쉬어 가도 좋아요.

CAUTION

1 용연 다리 위를 건널 때는 걸어서 이동하고 소지품이 떨어지지 않도록 주의해요.

2 많은 관광객이 찾는 해안도로인 만큼 부딪히지 않도록 주의해요.

3 해안도로에는 달리는 차가 많아요. 반드시 인도로 달려요.

4 화려한 야경에 매혹될 수도 있어요. 앞의 장애물과 방지 턱을 조심해요.

마음 따뜻한 크루원이 반기는 제주의 러닝크루, **얼라이브제주** ALIVEJEJU

시내에서 출발해 제주의 상징과도 같은 용두암을 달리는 용담 코스. 시티런이라 생각할 수 있지만 사실 그렇지 않다. 시내와 조화를 이루는 공원 내부를 달리며 해안도로까지 뻗어 나간다. 아름다운 제주의 해안도로를 달리다 보면 어느새 바닷바람과 바다 향에 취해 힘든 줄 모른다. 특히나, 수평선 가까이에서 빛나는 한치 배의 야경은 제주의 운치를 더한다. 가슴이 답답하거나 스트레스가 가득한 날이면 용담을 달리자. 가슴 뻥 뚫리는 기분과 함께 용두암의 기운을 얻을 수 있다. 파도 소리와 때맞춰 지나가는 비행기 소리 역시, 내가 드디어 제주에 왔구나 하는 사실을 상기시켜 행복하게 만든다.

제주를 달리는 크루, 'ALIVEJEJU'의 창시자인 문호진 님은 6년 전, 서울 생활에서 러닝크루를 처음 경험했다. 다양한 사람들이 러닝으로 뭉치고, 그 안에서 인연이 되는 것이 단순한 운동을 넘어 삶이자 문화라 생각했다. 이런 러닝 문화를 제주에도 알리고 싶어 '얼라이브제주'라는 크루를 만들었다. 초심자가 달릴 수 있는 3㎞부터 장거리까지 체력에 맞는 다양한 코스와 안전을 위한 전담 페이서가 앞과 뒤에서 함께 달린다. 제주에서 달려 보고 싶다면, 제주에도 새로운 인연을 맺고 싶다면 '얼라이브제주'와 함께 달려 보자. 차근차근 러닝을 시작할 수 있도록 도울 것이다. 마음 따뜻한 크루들이 자랑인 이곳, 용담을 함께 달려 보자.

놀멍   LET'S ENJOY

용두암 파도치는 바다에서 용이 된 용두암

공항에서 가까운 북동쪽 해안에 용두암이 있다. 거친 제주 바다를 향해 울부짖는 용의 머리를 연상시켜 '용두암'이라 불리는데 용연에 살던 용이 승천하다가 돌로 굳어졌다는 전설도 있다. 생생하고 날카로운 머리 모양 덕에 잔잔한 날보다 파도가 치는 날이면 더욱 생생하고 살아 움직이는 듯하다. 용두암에서 도두봉까지 이어지는 용두암 해안도로는 길가에 카페와 맛집이 즐비해 많은 올레꾼과 여행객, 자전거 이용객이 많다. 곳곳의 벤치와 뷰 포인트 역시 볼거리와 즐길 거리를 제공한다.

◉ 제주시 용담이동 488-5 ☎ 064.760.3601

우진해장국 제주산 고사리가 들어간 제주식 해장국

푹 고아진 고사리가 수북이 들어간 갈색빛의 고사리 육개장이다. 걸쭉하고 고소한 해장국 맛이 보양식처럼 든든하다. 특히, 육개장과 녹두 빈대떡을 함께 먹으면 궁합이 좋다. 함께 판매하는 몸국도 많은 이들이 찾는다. 해장국 맛집답게 아침 식사 시간에는 대기 줄이 길어 해장용이 아니라면 낮이나 저녁 시간대를 추천한다.

◉ 제주시 서사로 11 ☎ 064.757.3393

2

 Editor's TIP 요즘 유행인 비행기샷을 바로 이곳, 용담 코스에서 촬영할 수 있어요.
잊지 못할 인생 사진의 추억까지 남겨 보세요.

4   5

3

낮과 밤 모두 아름다운 해변

RUN THE JEJU

05

· 코스 정보 ·

#이호테우항 #이호테우해수욕장 #어영소공원
#조랑말등대

이호테우   8.3㎞

🏃 난이도   중

◎ 러닝 시간   90분

◎ 워킹 시간   150분

◎ 주소   제주시 이호일동 374-4

"바다 위에 떠 있는 낚시 배의 조명은

제주에서만 누리는 야경이에요."

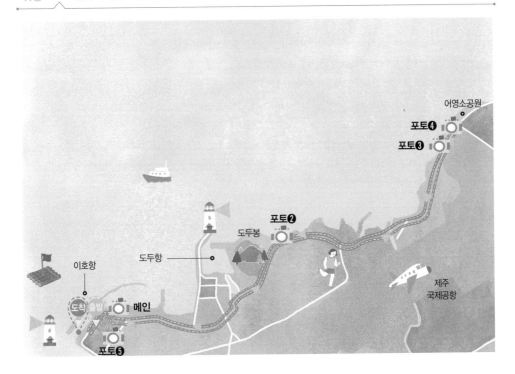

이호방파제 > 오래물광장 > 도두동 무지개 해안도로 > 어영소공원 > 원점 복귀

COURSE TIP

1 해안가 아래에는 벤치가 있어요. 의자에 앉아 풍경을 둘러보세요.
2 해녀가 물질하는 모습도 볼 수 있어요. 해녀에게 먼저 인사를 건네 보세요.
3 이호테우의 랜드마크, 조랑말 등대와 추억 사진을 남겨요.
4 개인의 체력과 컨디션에 따라 코스를 늘리고 줄여도 좋아요.

CAUTION

1 인도가 끝나는 지점은 단 높이의 차이가 있어 항상 발목을 조심해요.
2 비교적 밝은 밤이지만 밤에는 늘 차량과 안전에 주의해요.
3 바람이 많이 부는 날은 모자가 날아갈 수 있으니 헤어밴드를 하면 좋아요.
4 많은 관광객이 모이는 곳이라 보행자가 많아요. 속도를 줄여 주의해서 달려요.

인생의 버킷리스트 '아이언맨'을 위해 달리는 **조윤정 님**

새벽녘, 조윤정 님은 여느 때처럼 TV 채널을 돌리며 새벽의 공기를 흘려보내고 있었다. 우연히 다큐멘터리를 보게 되었는데 하와이에서의 철인 3종 아이언맨 풀코스에 도전하는 일반인의 이야기였다. 아이언맨 풀코스는 킹코스라 불리며 수영 3.8㎞와 사이클 180㎞, 그리고 달리기 42.195㎞의 철인 대회다. 극한에 도전하는 참가자의 모습과 따뜻해 보이는 하와이의 풍경에 시간 가는 줄 모르고 보았다. 그녀도 아이언맨 풀코스에 도전하고 싶다는 목표가 생기면서 인생 버킷리스트에 하나의 항목이 추가되었다. 그렇게 달리기를 시작하게 되었다. 제주의 해녀 할망도 응원하는 그녀의 러닝 코스를 소개한다.

이호테우는 제주공항에서 가장 가까운 해변이다. 그래서 제주 여행의 첫날이나 마지막 날 부담 없이 달릴 수 있다. 비행기 시간보다 여유롭게 도착해 제주를 원 없이 즐기고 돌아갈 수 있는 것이다. 이호테우항에서 달리기 시작하면 말의 기운을 받는 것 같아 왠지 모르게 힘이 난다. 넓은 인도라 안전하며 가로등이 있어 야간 달리기도 문제없다. 밤에 만나는 낚싯배의 불빛 역시, 이곳에서만 느낄 수 있는 매력이다. 무지개 색깔의 돌담마저 이호테우를 달리는 러너의 설레는 마음을 대변한다. 그녀는 종종 질문을 받는다. "그렇게 뛰면 안 힘들어요?" 물론 힘들다. 그렇지만 참고 달린다. 곧 피니시 라인이 기다리고 있다는 생각과 내가 힘든 만큼 옆 사람도 힘들다는 생각은 함께 이겨 내는 큰 힘이 된다. 당신의 버킷리스트에는 어떤 달리기가 적혀 있나요?

놀멍 ⌄ LET'S ENJOY

이호테우항 제주의 포토 스폿, 조랑말 등대

제주의 조랑말을 형상화한 말 등대로 추억 사진을 남기기에 좋다. 파란 바다를 배경으로 각각 다른 방파제의 끝에 자리 잡은 붉은 조랑말과 흰 조랑말은 대조되는 색감으로 이호테우의 랜드마크다. 바로 옆의 이호테우 해수욕장 역시 많은 관광객이 찾는다. 사실 이호테우 해수욕장에서 제주의 전통 고기잡이 방식인 '원담'도 볼 수 있지만, 썰물 때만 신비롭게 드러나 아는 사람은 많지 않다. 뒤로는 해변 캠핑장이 있고 선상이나 방파제에서 낚시도 즐길 수 있다.

◉ 제주시 이호일동 374-5

도두해녀의 집 제주도민이 추천하는 물회 맛집

공항과 가까운 위치에 가성비까지 좋은 물회 맛집이다. 전복죽과 회덮밥 등의 다양한 메뉴가 있지만 단연 물회가 인기 메뉴다. 새콤하고 시원한 육수를 한 입 마시면 무더운 여름날, 몸과 마음마저 절로 시원해진다. 여행 전이나 지친 여행 후에 먹으면 짜릿하게 정신이 맑아져 새로운 힘이 솟는다. 제주의 갓 잡아 올린 해산물이라 신선함은 물론 양도 넉넉하다. 밥까지 비벼 먹으면 어느새 한 그릇 뚝딱이다.

◉ 제주 제주시 도두항길 16　☎ 064.743.4989

Editor's TIP

맑은 날 아침 시간에는 한라산 북측의
능선을 바라보며 달릴 수 있어요.

약수가 흐르는 피톤치드 휴양림

RUN THE JEJU

06

·코스 정보·

#절물자연휴양림 #삼성혈 #산림욕 #무장애길

절물   3㎞

- 난이도   중
- 러닝 시간   30분
- 워킹 시간   60분
- 주소   제주시 명림로 584

"달리고 나면 온몸이
새로 태어난 기분이에요."

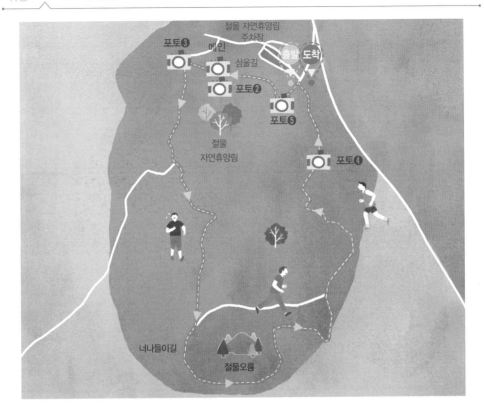

절물자연휴양림 매표소 > 삼울길 > 너나들이길 > 원점 복귀 도착

COURSE TIP

1 입장료성인 1,000원가 있지만, 전혀 아깝지 않아요.

2 곳곳의 운동기구를 활용해 러닝 후, 근력 운동을 할 수 있어요.

3 평상에서 가족, 친구, 연인과 함께 피크닉을 즐길 수 있어요.

4 모든 길이 무장애 길로 이루어져 있어 초보자나 아이도 함께 달릴 수 있어요.

CAUTION

1 비가 내린 뒤의 데크 길은 미끄러우니 발 디딤에 주의해요.

2 여러 갈림길이 있어 길을 잃을 수 있으니 지도를 숙지하거나 소지해요.

3 까마귀를 괴롭히면 3년을 되갚는다는 속설이 있어요. 까마귀를 괴롭히지 않아요.

4 생태계 보호를 위해 지정된 탐방로를 이용하고 식물을 채취하면 안 돼요.

러닝크루를 통해 친구가 된 **류성우, 김광일, 유덕현 님**

'절물'은 좋은 약물이 솟는다 하여 붙여진 이름이다. 가뭄에도 마르지 않아 주민들의 식수로 활용될 만큼 약물이 풍부한 절물오름 아래에는 절물자연휴양림이 위치한다. 삼나무가 울창해 눈까지 맑아지는 절물자연휴양림을 달려 보자. 머리 위로 우거진 나무 덕에 날씨에 구애받지 않고 여름에도 시원하게 달릴 수 있다. 비가 내리는 날이면 더욱 좋은데 코스 대부분이 숲이라 우산이 되어 주며 시원한 풀 내음까지 더해진다. 안개가 끼는 날이면 몽환적인 분위기를 연출해 이곳만의 매력은 배가된다. 계절에 따라 제철 꽃도 만개하니 사계절 내내 볼거리가 가득하다. 자연 친화적 소재를 사용한 산책로로는 몸과 마음을 정화하며 딛는 발걸음마다 새로운 나무와 식생이 있어서 신선한 느낌이다. 이곳을 달리고 빠져나오면 새로 태어난 기분까지 느껴진다.

절물을 달리는 이들은 러닝을 통해 친구가 되었다. 러닝을 시작한 계기는 모두 다르지만, 달리는 이유는 같다. 함께 달리는 순간만큼은 오랜 고향 친구처럼 순수한 마음으로 되돌아가기 때문이다. 제주 여행을 함께할 정도로 친한 친구가 된 그들은 마치 서로에게는 없으면 안 되는 존재 같기도 하다. 약효 좋은 물이 풍부해 '절물'이라는 이름이 붙은 것처럼 함께 달리는 러닝메이트는 특효약이 되어 준다. 빠르게 달리는 것도 좋지만 오래 달려야 잘 달리는 것처럼 주변에 오래 즐겁게 달릴 수 있는 러닝메이트를 만들어 보자. 어느새 내겐 없어서는 안 될 만병통치약이 되어 줄 것이다.

놀멍　LET'S ENJOY

삼성혈　한반도에서 가장 오래된 유적

제주도의 신화 중 '삼신인(고을나, 양을나, 부을나)'을 엿볼 수 있는 유적지로 수렵과 농경 생활을 하며 지금의 탐라왕궁, 제주도를 만들어 낸 곳이다. 세 개의 지혈 주위에는 수백 년도 더 된 고목들이 둘러싸여 있는데 고목들이 예의를 갖추려는 듯 혈을 향해 굽은 모습이 신비롭다. 또한, 아무리 많은 비나 눈이 내려도 쌓이거나 고이는 일이 없어 삼성혈의 고귀함을 더욱 분명케 한다. 매년 봄과 가을에는 제사를 지내며 완만한 코스라 누구나 산책하기 좋다. 또한 전시실과 영상실을 통해 제주의 신화와 역사도 관람할 수 있다.

◉ 제주시 삼성로 22　☎ 064.722.3315　✆ http://www.samsunghyeol.or.kr
ⓢ 입장료　성인 2,500원 / 청소년 1,700원 / 어린이 1,000원
🏠 관람 시간　연중무휴 09:00~18:00(신정, 설날 및 추석 당일 10시 개장)

곤밥2　옥돔구이가 맛있는 가정식 백반

공항 근처의 제주 가정식 백반으로 정식을 주문하면 옥돔구이와 두루치기가 포함된 다양한 반찬이 함께 나온다. 7,000원이라는 가격이 믿을 수 없을 정도로 반찬 하나하나에 정성이 가득하고 감칠맛이 난다. 대기표를 사용할 만큼 손님이 많아 이른 식사 시간이나 늦은 식사 시간에 방문하는 것을 추천한다.

◉ 제주시 서부두남길 8　☎ 064.759.2918

 Editor's TIP

휴양림답게 달리기만 하고 돌아오기에는 아쉬워요. 처음에는 가볍게 달리면서
휴식할 장소를 물색하고, 달리기가 끝나면 그곳에서 시간을 길게 갖고 여유를 즐겨요.

목장까지 이어진 달리기 좋은 길

07

· 코스 정보 ·

#아침미소목장 #제주대학교 #트랙런

제주대학교 8.5㎞

"달리다가 목이 마르면 목장 카페에서
신선한 우유 한 잔 마시고 다시 달리면 돼요."

- 난이도 **중**
- 러닝 시간 **60분**
- 워킹 시간 **90분**
- 주소 **제주시 제주대학로 102**

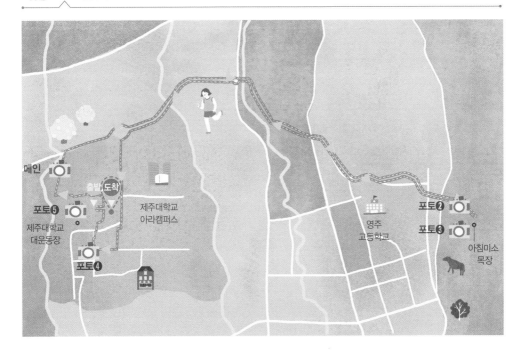

메인

출발·도착

제주대학교
아라캠퍼스

포토❺
제주대학교
대운동장

포토❹

영주
고등학교

포토❷

포토❸

아침미소
목장

제주대학교 아라캠퍼스 운동장 > 제주대학로 > 아침미소목장 > 경성대학1호관 > 원점 복귀

COURSE TIP

1 운동장의 400m 트랙에서 조깅이나 러닝 훈련을 해도 좋아요.

2 벚꽃이 만개하는 봄에 달려 보세요. 벚꽃잎이 흰 눈처럼 흩날릴 거예요.

3 아침미소목장은 입장료가 없는 관광지예요. 사진도 찍고 송아지 우유 주기 체험도 해 보세요.

4 목장 카페에서 신선한 우유를 마실 수도 있으니 카드를 소지해요.

5 가끔은 달리기 피니시 라인에 들어가는 것처럼 양팔을 벌리고 바람을 느껴 보세요.

CAUTION

1 제주대학교를 나서면 큰 차도가 있어요. 건널목에서는 항시 차량에 주의해요.

2 산 중턱에 있는 코스라 약간의 오르막과 내리막이 있어요.

곳곳에 추억이 가득한 제주 토박이 소녀 **박서영 님**

제주도 러닝 코스의 대부분은 오름과 해안도로로 이루어져 있다. 흙과 돌이 많은 탓에 속도를 내어 달리기엔 어려운 환경이다. 하지만 자연과 계절을 만끽하면서도 속도를 내어 뛰고 싶다면, 제주대학교를 달려 보자. 많은 학생과 차가 이용하는 캠퍼스라 잘 닦인 아스팔트 길을 달릴 수 있는 동시에 여전히 자연은 그대로 느낄 수 있다. 한라산 중턱에 있는 대학교라 캠퍼스 안에도 자연이 살아 있다. 마치 거대한 수목원처럼 느껴진다. 또한, 제주대학교는 벚꽃으로도 유명해서 봄이면 온통 따뜻한 흰 눈이 하늘을 뒤덮는다. 제주대학교에서 시작한 달리기는 근처의 아침미소목장까지 닿았다가 돌아온다. 입장료 없는 목장이라 무료로 피톤치드 샤워까지 즐길 수 있다. 물론, 목이 마르면 목장 카페에서 신선한 우유 한 잔 마시고 돌아오면 된다.

제주대학교 러닝 코스를 소개하는 박서영 님은 제주의 토박이 소녀다. 성인이 되기 전까지 제주에 살았던 그녀에게 제주대학교는 많은 추억으로 가득한 곳이다. 그래서 캠퍼스 사이를 누빌 때면 초등학생 때부터 중학생, 고등학생, 그리고 현재까지의 추억이 하나둘 떠오르며 시간의 흐름 따라 회상하는 기분이다. 평소 걷고 달리는 것을 좋아하는 박서영 님에게 대학교 선배가 러닝크루 활동을 제안했다. 그렇게 3년 전부터 달리기를 시작하게 되었고, 이제는 완전한 취미가 되어 추억 가득한 제주대학교를 달린다. 그녀처럼 나에게 추억이 듬뿍 담긴 곳을 달려 보자. 오래 봐 온 탓에 더는 지루한 곳이 아니라 더욱 특별하게 남게 될 경험이다.

놀명 LET'S ENJOY

아침미소목장 다양한 체험이 가능한 친환경 목장

넓은 초원에서 자유롭게 뛰노는 소들과 한라산까지 조망하는 평화로운 곳. 1978년 설립된 후 2008년, 낙농체험목장으로 선정된 친환경 목장이다. 젖소와 송아지에게 먹이 주기 체험은 물론, 아이스크림과 치즈를 직접 만들어 볼 수도 있어 생생한 체험 학습이 된다. 제주시 근교에 위치해 쉽게 찾을 수 있고 입장료는 무료다. 송아지 우유 주기 체험은 카페에서 우유병을 산 뒤, 병에 적힌 이름의 송아지를 찾아 물려 주면 되는데 '승기'부터 '보검', '흥민'까지 유명인의 이름이 있어 재미까지 배가된다.

◉ 제주시 첨단동길 160-20　📞 064.727.2545
🌐 http://morningsmile.modoo.at/

아침미소목장 카페 목장에서 만든 신선한 유제품

아침미소목장 안에는 여유를 느끼며 쉬어 갈 수 있는 카페가 있다. 큰 창을 통해 목가적인 풍경이 펼쳐지는데 마치 컴퓨터의 바탕화면처럼 마음이 차분해지는 기분이다. 카페는 목장에서 직접 만든 수제 요구르트와 우유, 치즈 아이스크림, 모차렐라 치즈 등의 유제품을 맛볼 수 있다. 신선하고 고소해 시중의 제품보다 맛있다. 기념품으로 선물하기 좋은 우유 비누도 함께 판매하고 있다.

◉ 제주시 첨단동길 160-20　📞 064.727.2545

Editor's TIP

흔히 마시멜로라고 불리는 곤포 위에서
한라산과 가깝게 사진을 찍을 수 있어요.

1,300여 종의 풀과 나무가 자라는

RUN THE JEJU

08

· 코스 정보 ·

"재미난 이름의 식물과 득이한 나무를
관찰하며 달리면 아마존에 온 것 같은 느낌이에요."

#한라수목원 #자생식물 #광이오름 #트레일러닝
#대나무숲

한라수목원 6km

◉ 난이도 중

◎ 러닝 시간 60분

◎ 워킹 시간 80분

◎ 주소 제주시 연동 998

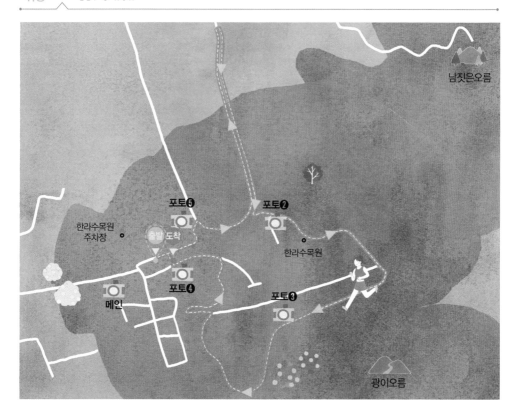

 한라수목원 주차장 ➤ 도외수종원 ➤ 수생식물원 ➤ 장미원 ➤ 원점 복귀

COURSE TIP

1. GPS 기능은 잠시 멈추고, 천천히 달리며 자연 속을 누벼요.
2. 벚꽃 피는 봄이 오면 로맨틱한 장소로 변신해요.
3. 난이도를 높이고 싶다면 광이오름에 올라요.
4. 주어진 러닝 코스보다 바람 따라, 기분 따라 마음이 이끄는 곳을 달려요.

CAUTION

1. 아무리 아름답고 신기한 식물이라도 훼손하면 안 돼요.
2. 떨어진 열매를 주워서도 안 돼요.
3. 지정된 관찰로나 통행로만 달려요.

오전에는 스피닝 강사, 오후에는 영어 선생님 **김보선 님**

산후 우울증을 겪던 김보선 님은 한때 고통의 시간을 보냈다. 의사의 권유로 운동을 시작하게 되었고 그녀의 시간은 거꾸로 흐르게 되었다. 꿈처럼 생각했던 '트레일러닝'에 도전하고, 피트니스 대회에서 입상까지 한 것이다. 그녀의 도전은 직업으로까지 이어졌다. 오전에는 스피닝 강사, 오후에는 영어 선생님으로 보내며 학원 아이들과도 함께 달린다. '휴대전화만 바라보는 아이들에게 필요한 건 무엇일까?'라는 생각에 부모님과 상의 후, 달리고 싶은 아이들을 모았다. 영어 달리기랄까? 결과는 대만족. 심지어 마라톤 대회에 참가해 5㎞ 단축 마라톤도 완주했다. 그녀는 운동을 통해 우울증을 극복했다. 그녀가 그랬던 것처럼 출산과 육아로 힘든 시기에도 얼마든지 달라질 수 있고, 멋지고 자랑스러운 엄마이자 아내가 될 수 있다.

한라수목원은 들어가는 길목부터 신비롭다. 양쪽으로 핀 벚꽃 터널은 수목원으로 인도하는 환영 인사다. 트레일러닝이 궁금한데 한라산은 너무 높고 어떤 오름을 올라야 할지 모르겠다면, 한라수목원에서 입문해 보자. 흙길부터 시작해 돌길, 황톳길, 나무 계단, 아스팔트 등 다양한 지형은 나의 달리기 경험을 다채롭게 만든다. 육상 선수들이 전지훈련 장소로 많이 찾을 만큼 달리기에 좋다. 공항과도 가까워 쉽게 방문할 수 있으며 넓은 주차장과 화장실, 카페 등의 각종 편의 시설도 있다. 무엇보다 이렇게 다채로운 수목원의 입장료는 무료. 한라수목원 곳곳은 달리는 러너들로 생기가 넘친다. 운동, 특별한 사람이 하는 것도 아니고 특별한 장소에서 하는 것도 아니다. 당신도 당장 시작할 수 있다.

놀멍   LET'S ENJOY

한라수목원 살아 있는 자연 체험 학습장

제주도의 자생 수종과 아열대식물 1,300여 종이 식재·전시되어 있는 수목원이다. 멸종 위기 보호 야생식물의 '서식지 외 보전기관'으로 지정되어 보존과 학습, 연구의 장을 제공하고 도민에게는 휴식 공간이 되어준다. 아이들에게는 살아 있는 체험 학습장이다. 자연해설 전문가와 함께 관찰하는 자연 생태 체험 프로그램도 운영된다. 광이오름과도 연결되어 있어 삼림욕을 즐길 수 있다. 운이 좋으면 노루를 만나기도 한다.

◉ 제주시 수목원길 72   ☎ 064.710.7575
🔗 http://sumokwon.jeju.go.kr/

비원 삼계탕과 모래집구이가 맛있는 집

한라수목원과 불과 400m 떨어진 이곳의 주력 메뉴는 삼계탕과 닭 모래주머니다. 뽀얗고 걸쭉한 국물은 깊고 진하며 자극적이지 않다. 부드러운 닭고기는 아이들 입맛에도 딱이다. 유독 큼직한 닭 모래주머니는 오돌오돌 씹히는 식감이 특이해 처음 맛보는 고기 같다. 특히, 철분이 많아 빈혈을 예방하고 뇌에 산소 공급을 돕는 식품이라 운동 후에 먹으면 좋다. 반찬으로 나오는 오이고추는 맵지 않고 아삭해 감칠맛을 더한다. 삼계탕과 묘하게 잘 어울린다.

◉ 제제주시 수목원길 3-1   ☎ 064.712.8899

2

4

Editor's TIP

행운의 여신이 함께하는 날이면
자연을 뛰어노는 노루를 만날 수도 있어요.

3

5

낚시꾼과 올레꾼이 찾는 자연의 청정 보물섬

RUN THE JEJU

09

· 코스 정보 ·

#추자도 #나바론하늘길 #최영장군사당
#눈물의십자가 #올레길18-1코스

추자도　　　15km

"겹겹이 보이는 42개의 섬 봉우리는
모험하는 듯 기묘한 힘을 내어 줘요."

📊 난이도　상

⏱ 러닝 시간　130분

⏱ 워킹 시간　210분

📍 주소　제주 추자면 대서리 4-21

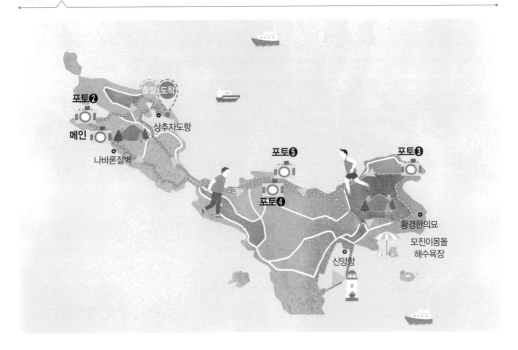

 상추자도선착장 ＞ 최영장군사당 ＞ 후포해안 ＞ 나바론하늘길

 원점 복귀 ＜ 신대산전망터 ＜ 황경한의묘 ＜ 추자대교 ＜ 추자도 등대

COURSE TIP

1 벽화 골목 구석구석을 누비는 재미가 있어요.
2 추자도에는 순환버스가 다녀요. 달리다가 지칠 땐 버스를 이용해요.
3 추자는 바다낚시의 천국이기도 해요. 바다낚시를 경험해 보세요.
4 올레길18-1코스는 18.2㎞의 거리예요. 하루로는 너무나 짧아요.

CAUTION

1 선착장에서 배로 1시간이면 추자도에 도착해요.
2 기상 상태에 따라 운항 시간이 변경될 수 있으니 미리 확인해요.
3 청정 지역답게 유동인구가 많이 없어요. 혼자보다는 함께 달려요.
4 절벽 위에서는 위험할 수 있으니 사진 욕심은 부리지 않아요.
5 해안도로는 길이 좁고 코너가 많아 차량이 보이지 않으니 차량에 주의해요.

제주의 청정 아름다움에 푹 빠진 Mike, Matthew 님

13년째 한국에 거주하는 Mike 님은 제주 거주 비자가 있는 제주도민이다. 그는 어릴 적부터 아빠와 5㎞를 달릴 정도로 달리기를 좋아해 13년간 꾸준히 제주도를 달렸지만, 아직도 담지 못한 아름다움이 많다. 특히, 제주는 조금만 나가면 대자연이 반기는 곳이라 가능하면 일부러 그의 하우스메이트이자 러닝메이트인 Matthew와 함께 달리기 여행을 떠난다. 그의 팁이라면 미리 많은 조사를 하지 말 것. 그 지역에 도착해서 여유롭게 탐방하면 상상도 못 한 아름다운 장소와 추억을 만들 수 있다. 추자도에서 그를 따라 아름다운 추억을 만들어 보자.

추자도는 제주의 30~40년 전 과거 여행 같다. 청정 지역을 간직한 덕에 지금까지의 제주와는 사뭇 다른 느낌이다. 4개의 유인도와 38개의 무인도로 이루어진 만큼 갖가지 다양한 섬들이 개성을 뽐내는데, 마치 바다에 떠 있는 첩첩산중 같다. 상추자도 선착장에서 달리기 시작하면 최영 장군 사당에 이른다. 고려 시대, 마을 사람들에게 고기 잡는 법 등 큰 도움을 준 최영 장군의 덕을 기리고자 지은 사당이다. 그리고 해안 절벽 길을 따라 나바론하늘길에 이른다. 하늘길이라는 이름에 걸맞게 옮기는 발길마다 바다와 산이 만들어 낸 풍광을 쏟아 낸다. 등대 전망대를 지나 하추자도까지 한 바퀴를 둘러 돌아오면 추자도 달리기가 마무리된다.

놀멍 LET'S ENJOY

나바론절벽 영화 〈나바론 요새〉의 절벽을 닮은 곳

상주자도에는 영화 〈나바론 요새〉의 '나바론섬'과 닮은 '나바론하늘길'이 있다. 독산과 큰 산, 그리고 등대전망대로 이어지는 능선의 바닷가 쪽 경사면으로 사람이 다닐 수 있을까 싶은 높은 절벽이지만 그 아찔한 길을 따라 하늘길이 길게 펼쳐진다. 트래킹 코스를 따라 절벽 위 꼭대기까지 오르면 아래로 펼쳐지는 풍광이 빼어나며 추자항의 모습을 한눈에 담을 수 있다. 추자 주민이 자랑하는 추자의 비경이다.

◉ 제주시 추자면 영흥리 산19

e.맛 식당 거센 파도를 이겨 낸 신선한 회

추자도에 오면 꼭 맛봐야 하는 음식이 '회'다. 단단한 바위와 거친 해류에 힘이 약한 고기들은 살지 못하는 곳이다. 거센 물살과 파도를 이겨 낸 돔이라 더욱 쫄깃하다. 신선한 자연산이라 맛 또한 일품. 전라도와 가까운 탓에 전라도의 맛과 비슷하다. 먹장어도 유명하며, 추자도에서는 사시사철 다양하고 싱싱한 자연산 해산물을 맛보고 즐길 수 있다.

◉ 제주시 추자면 추자로 24-5 ☎ 064.742.5148
🔍 https://www.jejudreamtower.com/kor/

Editor's TIP

나바론 하늘길에서의 석양과 먼동은 이국적인 풍경을 자아내요.
추자십경이 있어 반나절에 감상하기에는 너무나도 아까운
풍경들이니 추자도에서 하루 머무는 것을 추천드려요.

추자도 바다 따라 걷는 천주교 성지 순례길

제주 본섬보다 전라도와 더 가까운 추자도는 사실 전라남도에 속했다가 1910년 제주시가 되었다. 그 덕에 여전히 전라도의 향이 남아 추자도의 식탁 위는 나바론 하늘길만큼 다채롭다. 가톨릭 신자라면 특히 방문해야 할 곳이기도 하다. 황경한의 묘와 눈물의 십자가 등 볼거리 가득한 성지순례길이 되어 준다. 또한, 마을미술프로젝트를 통해 추자도 곳곳은 거대한 설치미술관이 되었다. 추자십경이 함께하면 반나절이 너무나도 아까운 풍경이다.

◉ 제주시 추자면 추자로 24-5 ☎ 064.742.5148
📧 https://www.jejudreamtower.com/kor/

제주시 추자면 **추자도**
횡간추범橫干追帆, 흰 돛을 단 범선과 어우러진 풍경

동부

조천읍 | 구좌읍 | 성산읍 | 우도면 | 표선면 | 남원읍

황금빛으로 물든 금백조로

송당리에서 성읍리로 향하는 길은 곧고 단조로운 도로가 하나 뻗어 있다. 들어
선 길 양옆으로 오름들이 이웃하여 금백조로를 지나는 이들을 반긴다. 하루를
조금 서둘러 나선다면 황금빛이 오름 사이로 오르락내리락 가락을 타는 모습을
맞이할 수 있다. │ 백약이오름 p.158

곶자왈 제주시 조천읍
물과 생명의 비옥한 땅

용암이 흐르는 곳, 만장굴의 발원지

"우리나라에도 이런 곳이 있었나 싶어요.
자연 그대로의 모습을 간직한 원시림이에요."

#세계자연유산 #트레일러닝 #만장굴
#거문오름용암동굴계 #사전신청

거문오름 5.5km

- 난이도 중
- 러닝 시간 90분
- 워킹 시간 150분
- 주소 제주시 조천읍 선교로 569-36

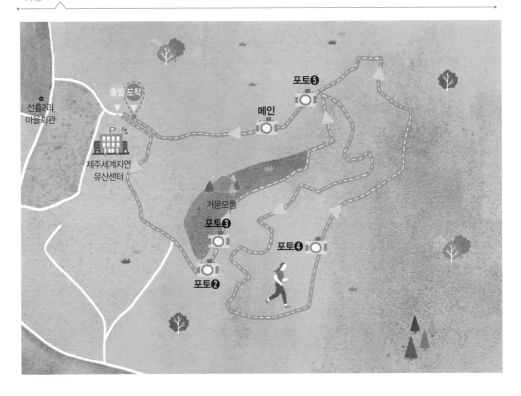

선흘2리
마을회관

출발·도착

제주세계자연
유산센터

거문오름

포토❸

포토❷

메인

포토❺

포토❹

 제주세계자연유산센터 > 거문오름 > 분화구 코스 > 원점 복귀

COURSE TIP

1 거문오름은 1일 전까지 사전 예약 필수예요. 당일은 입장이 불가해요.

2 해설사 선생님의 이야기에 귀 기울여요. 그러면 거문오름이 다르게 보일 거예요.

3 거문오름에서 자라는 투구꽃과 산수국을 찾아보세요.

4 거문오름 외에도 자연유산센터 내부에 전시된 사진을 감상해요.

CAUTION

1 나무 길이 미끄러울 수 있으니 미끄러지지 않는 러닝화를 신어요.

2 이온음료와 에너지 젤 등의 음식물 반입은 금지예요. 물만 가능해요.

3 생태계 보호를 위해 동물이나 식물, 광물의 포획, 채취, 반출은 금지예요.

4 유네스코 자연유산이에요. 지정된 탐방로 외에는 들어가지 않아요.

아름다운 선율을 만드는 피아니스트 **구솔이 님**

피아니스트에게 중요한 것은 무엇일까? 실력 외에도 연습하는 체력이 필요하다. 피아니스트인 구솔이 님은 여린 체력에 자주 아프기도 했다. 면역력이 좋아진다는 친구의 말에 러닝을 시작하게 되었고, 달리기 덕분에 하루 6시간도 거뜬히 연습에 매진할 수 있는 체력을 갖게 되었다. 예술과 체육은 무슨 관계가 있을까 싶지만, 그녀의 생각은 다르다. 마라톤이 피아노 연습에 도움이 된다는 것이다. 마라톤을 하며 멀리 보고 달리는 힘을 배웠고, 그 힘으로 끈기 있는 마음가짐을 얻게 되었다. 음악을 하는 예술인이라면 운동도 병행하기를 그녀는 적극 추천한다. 긴 러닝 타임을 견디는 힘과 정신력은 달리기에 있었다.

제주도 오름 중 유일한 유네스코 세계자연유산인 거문오름은 그녀가 연주하는 피아노 선율처럼 생동감 있는 고유의 색깔을 품고 있다. 흔히 우리가 생각하는 탁 트인 오름이 아닌 삼나무와 소나무 등 다양한 나무가 빼곡한 숲을 이룬다. 숲으로 검게 덮인 모습에 '검은오름'이라 불리듯 거문오름 안으로 들어와 오름 사이사이를 누비면 우리나라에도 이런 곳이 있었나 싶을 만큼 자연 그대로의 숲을 만날 수 있다. 자연유산 보호를 위해 홈페이지 신청 후에 탐방이 가능한데, 해설사 선생님과 전망대 정상까지 동행해 오름에 대한 설명을 들으면 아는 만큼 보이듯 거문오름이 건네는 자연의 소리도 듣게 된다. 분화구 곳곳에는 바위틈 사이에서 내뿜는 자연의 숨소리, 풍혈도 볼 수 있다. 그 이후부터 탐방로 출구까지 천천히 걷거나 달리며 자연을 즐기면 된다.

놀멍   LET'S ENJOY

만장굴 수십만 년 전에 만들어진 용암의 흔적

'아주 깊다'는 제주의 방언처럼 만장굴의 길이는 약 7.4㎞. 세계적으로도 큰 용암동굴이다. 수십만 년 전, 거문오름이 화산 폭발로 흘러내린 용암이 굳으며 생성되었는데, 내부의 모습이 잘 보존되어 있어 유네스코 세계자연유산이 되었다. 연중 평균 12℃를 유지하는 굴의 내외부 온도 덕분에 동굴 입구 주변에는 독특한 식생들이 신비로운 느낌을 준다. 현재는 1㎞ 탐방만 가능하며, 그 끝에서 용암석주돌기둥를 관람할 수 있다. 천장에서 바닥으로 흘러내린 용암이 굳으면서 만들어진 기둥 모양으로 크기가 상당하며 바닥으로 흐르며 생긴 용암 발가락 모양도 놓칠 수 없는 포인트다.

⦿ 제주시 구좌읍 만장굴길 182   ☎ 064.710.7903
🕐 이용 시간 09:00~18:00(매월 첫째 주 수요일 휴무)
💲 입장료 성인 4,000원 청소년 및 어린이 2,000원

그계절 머무는 것만으로 힐링이 되는 온실 카페

온통 초록 식물들로 둘러싸인 온실 카페. 들어선 순간부터 다른 세상에 온 것 같은 공기와 신선함이다. 식물의 배치와 소품이 모두 특색 있어 앉는 자리마다 두는 시선마다 포토 스폿이다. 분명 카페임에도 식물원으로 손색없다. 커피와 과일이 곁들여진 음료, 그리고 건강함 가득한 바질토스트가 인기다. 창문을 통해 들어오는 채광과 각도에 따라 시시각각 변하는 식물의 잎도 이 카페만의 매력이다.

⦿ 제주시 구좌읍 한동로 119   ☎ 010.3140.3121

Editor's TIP

만장굴의 내부 온도는 연중 평균 12℃ 를 유지하고
있어요. 여름일지라도 반드시 겉옷을 지참해요.

거문오름 & 제주세계자연유산센터
제주도 오름 유일의 유네스코 세계자연유산

만장굴의 탄생 배경이 거문오름이다. 오름에서 흘러나온 용암이 북동쪽 해안 13km까지 흘러가면서 무려 20여 개 동굴을 형성했다. 우리에게 익히 알려진 뱅뒤굴, 김녕굴, 만장굴, 용천동굴 등이 그것이다. 한 화산에서 만들어진 이렇게 긴 동굴은 세계적으로도 드물어 이를 '거문오름용암동굴계'라고 한다. 이러한 이유로 제주도 오름 중 유일의 유네스코 지정 세계자연유산이 되었다. 거문오름 정상에서는 화산의 분화구를 볼 수 있고 입구에는 제주 세계자연유산센터가 운영된다. 세계자연유산의 효율적인 관리와 보전, 그리고 탐방객의 이해를 위한 다양한 전시가 열린다. 생태계의 보고인 만큼 1일 탐방객을 450명으로 제한해 사전 신청자에 한해 전문 해설사와 함께 탐방이 가능하다.

◉ 제주시 조천읍 선교로 569-36   ☎ 064.710.8981
🏛 이용 시간   09:00～13:00, 30분 간격 (매주 화요일, 설날, 추석 휴무)
⑧ 입장료   성인 2,500원 / 청소년 1,700원 / 어린이 1,000원
🖲 http://www.jeju.go.kr/wnhcenter/black/black.htm

제주세계자연유산센터

🏛 이용 시간   09:00～18:00 (매월 첫째 화요일, 설날, 추석 휴무)
⑧ 입장료   성인 3,000원 청소년 및 어린이 2,000원
🖲 http://www.jeju.go.kr/wnhcenter/index.htm

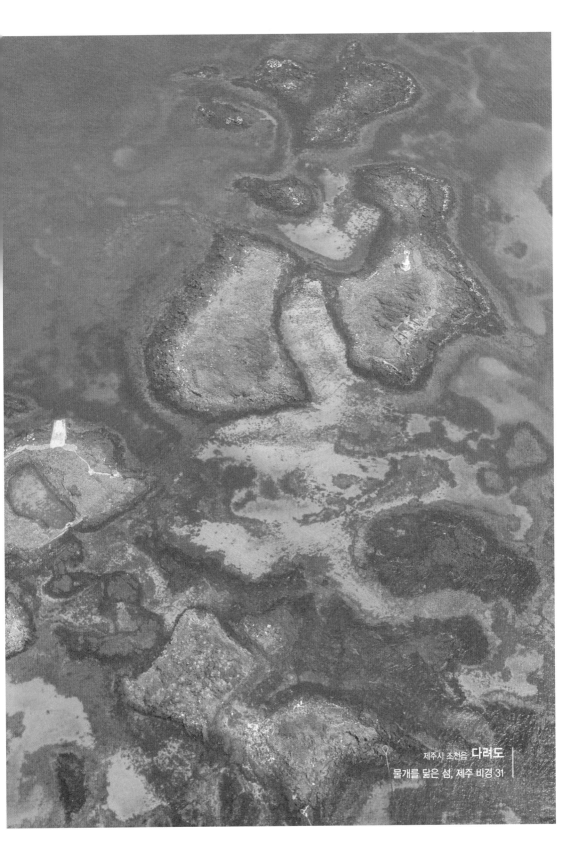

제주시 조천읍 **다려도**
물개를 닮은 섬, 제주 비경 31

여유와 쉼이 있는 해안누리길

"억새밭이 파도처럼
물결을 만들어 일렁이면 가슴이 벅차올라요."

RUN THE JEJU

11

· 코스 정보 ·

#연북정 #죽도 #대섬 #닭머르해안길
#올레길18코스

닭머르해안길 9km

📉 난이도 중
◎ 러닝 시간 90분
◎ 워킹 시간 150분
◎ 주소 제주시 조천읍 조천리 2690-4

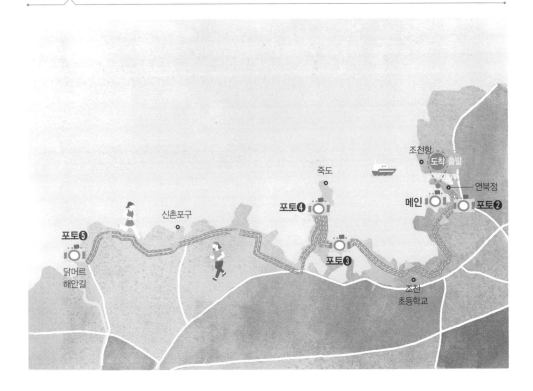

 연북정 > 죽도 > 신촌포구 > 닭머르 > 원점 복귀

COURSE TIP

1 억새밭 곳곳에는 벤치가 있어요. 잠시 쉬면서 풍광을 감상해요.
2 느리게 달릴수록 더욱 많은 것을 담을 수 있어요.

CAUTION

1 바람이 많이 부는 해안도로라 모자가 날아가지 않도록 주의해요.
2 노을이 지고 해가 들어가면 금방 어두워지니 너무 늦은 시간에는 달리지 않아요.
3 해안 길에는 올레꾼이 많아요. 속도를 줄여 배려하며 달려요.
4 앞뒤 차량에 주의해 안전하게 달려요.

두 바퀴와 두 다리로 제주를 느끼는 **김성화, 김나현 님**

바다 풍경과 일렁이는 억새가 아름다운 닭머르해안길. 마치 닭이 흙을 파헤친 뒤, 그 안에 들어앉은 모습 같다 하여 붙여진 이름이다. 해안누리길 50코스에 속하며 닭머르 입구에서 신촌리 어촌계 탈의장까지 왕복 1.8㎞이다. 과거 그리움을 달래며 북쪽을 사모하는 정자, '연북정'을 출발해 올레길18코스를 따라 '죽도'로 이어진다. 죽도는 흘러내린 용암이 그대로 굳으며 만들어진 평평한 섬으로, 마치 갓 용암이 굳은 것처럼 표면이 생생하다. 죽도를 빠져나와 닭머르 입구로 갈수록 두근거림에 발걸음이 빨라진다. 저 멀리 푸른 바다와 조화를 이루는 해안 정자가 기다린다. 데크와 야자수 매트가 안전하게 길을 안내하는데, 바라보는 각도에 따라 색다른 풍경을 자아내고 있어 보고 또 봐도 감탄이 나온다.

고등학생 때부터 이어진 13년 지기 친구 김성화, 김나현 님은 말하지 않아도 통하는 운동 메이트이자 소울 메이트다. 제주도 자전거 종주를 위해 제주도를 방문했던 그녀들은 가장 마지막 코스에서 만난 닭머르해안을 잊지 못해 다시 찾았다. 2박 3일을 쉬지 않고 페달을 굴려 도착한 이곳은 그간의 고단함을 날려 줄 만큼 가슴 따뜻해지는 노을을 안겨 주었다. 이제는 두 바퀴가 아닌, 두 다리로 달린다. 자전거를 타고 달릴 때면 속도가 빨라 많은 것을 보지 못했지만 두 다리로 달리면 더 천천히, 더 깊게, 그리고 오래 보고 느낄 수 있다. 자전거를 타고 맞이하는 바람도 좋지만, 두 발로 제주의 땅을 밟으며 천천히 느끼는 바람도 좋다. 오감으로 느낄 수 있는 닭머르해안길을 걷고, 보고, 느껴 보자.

놀멍 LET'S ENJOY

죽도 부풀어 오른 살아 있는 용암 섬

'대섬'이라고도 불리는 죽도는 섬의 이름이지만 누구나 걸어서 들어갈 수 있다. 올레길18코스와 연결되어 있으며 아기자기하게 쌓아 올린 돌담이 테마파크를 연상케도 한다. 쉽게 지나칠 수 있는 곳이지만 사실 지질학적으로 매우 중요한 유산이다. 점성이 낮아 넓은 지역으로 흐른 용암이 표면만 살짝 굳어졌는데, 그 내부의 용암은 부풀어 오르면서 위로 살짝 솟은 지금의 모습이 되었다. 많이 알려지지 않은 귀한 곳이라 여유롭게 산책을 즐길 수 있다.

◉ 제주시 조천읍 신촌리 529-8

오드랑 인생 마농바게트를 만나는 곳

마늘의 제주 방언인 '마농' 바게트가 대표 메뉴다. 일반적인 바게트의 딱딱한 식감이 아닌 쫄깃하고 부드러워 손으로 뜯어 먹기 편하다. 바게트 안으로 달짝지근한 마늘 소스가 꽉 들어차 굉장히 촉촉하며 진한 마늘 향의 풍미가 느껴진다. 먹고 있지만, 또 먹고 싶은 만큼 중독성이 강하다. 마농바게트 외에도 다양한 빵들이 기다리고 있다. 초록의 감각적인 외관은 포토 스폿으로도 손색없다.

◉ 제주시 조천읍 조함해안로 552-3 ☎ 064.784.5404

Editor's TIP 사이클링 후 러닝을 하기 전에 다리 근육을 풀어주고 달려요.

제주의 신화가 살아 있는 곳

RUN THE JEJU

12

· 코스 정보 ·

#돌문화공원 #돌하르방 #샤이니숲길

돌문화공원 3.3km

- 🏃 난이도 하
- ◎ 러닝 시간 30분
- ◎ 워킹 시간 60분
- ◎ 주소 제주시 조천읍 교래리 산101

"화산송이 흙길을 지닐 때 나는 타닥타닥 소리는
내가 살아 있음을 느끼게 해 줘요."

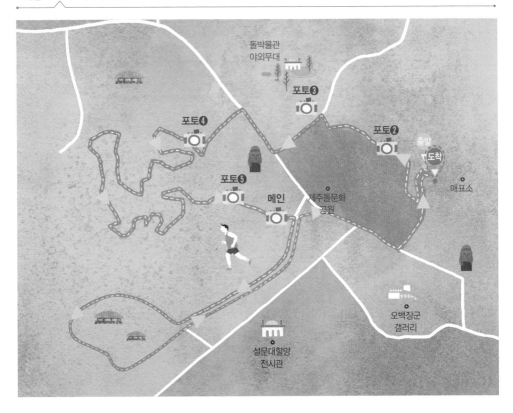

 제주돌문화공원 매표소 ❯ 돌박물관 ❯ 2코스 ❯ 3코스 ❯ 원점 복귀

COURSE TIP

1. 돌하르방 외에도 각종 조형물을 구경하는 재미가 있어요.
2. 멋진 풍경이 보인다면 반드시 멈춰 사진을 찍어요. 지나온 길은 다시 되돌아오지 않아요.
3. 정해진 코스가 아닌, 나만의 코스를 새롭게 만들어도 좋아요!
4. 입장료가 있는 러닝 코스이지만, 절대 아깝지 않아요.

CAUTION

1. 너무 넓어 길을 잃을 수 있으니 꼭 지도를 지참하거나 숙지해요.
2. 숲길 사이는 어두워서 혼자 달리면 무서울 수 있어요. 함께 달리는 것을 추천해요.
3. 화산송이 흙길이 많아요. 흙이 묻어도 무방한 신발을 신어요.
4. 함께 관광하는 박물관인 만큼 음악을 틀거나 큰 소음을 내지 않아요.

언제나 달리는 건강하고 도전적인 아빠 **구성철 님**

1년간 주말부부 생활을 했던 구성철 님은 퇴근 후 집에 오면 할 일이 없이 TV만 보다가 잠드는 일상이 반복되었다. 뭐라도 해야겠다 싶어 혼자 할 수 있는 운동, 달리기를 선택했다. 처음에는 대회에 나가 메달을 수집하는 재미로 시작하다가 이제는 여행지에서 달리는 재미로 러닝을 이어 간다. 차로는 볼 수 없던 곳을 지나며 골목골목을 현지인처럼 유랑할 수 있는 것이 달리기 여행의 장점이다. 금쪽같은 아기가 태어난 지금도 여전히 달린다. 아이가 아빠를 그리면 운동복 차림의 달리는 모습을 그릴 만큼 아이에게 아빠는 달리는 사람이다. 심지어 유모차에 아이를 태워 10㎞ 단축 마라톤에도 참여했다. 이런 '달리는 아빠'의 모습이 그는 싫지만은 않다. 앞으로도 그는 아이에게 건강하고 늘 도전적인 아빠로 남길 소원한다.

돌문화공원은 100만 평 대자연 위에 만들어진 박물관이자 생태공원이다. 따라서 자연을 달리며 돌의 역사에 관해 공부하고, 구경할 수 있는 1석 3조의 러닝 코스다. 조형물, 초가집 등 주제별로 색다른 느낌을 조성해 힘이 들다가도 새로운 느낌에 절로 힘이 솟는다. 특히, 화산송이가 깔린 흙길을 지날 때면 타닥타닥하는 소리가 나를 살아 있음을 느끼게 해 준다. 날이 흐리다면 돌문화공원의 매력은 배가된다. 안개와 함께 조화로운 모습은 돌 석상들을 더욱 기품 있고, 신비롭게 만든다. 곳곳이 제주다운 포토 스폿이라 달리기와 사진을 좋아하는 러너라면 누구나 반길 만한 코스다. 러닝을 아직 시작해 보지 않더라도 재미있게 놀며 달리다 보면 어느새 러너가 되어 박물관을 나올 것이다.

놀멍 LET'S ENJOY

샤이니숲길 빛이 쏟아지는 숲길

곧게 뻗은 삼나무 사이로 화산송이가 닮긴 진한 갈색의 흙이 바닥에 놓여 있다. 그리고 현무암 돌담이 나란히 세워져 있어 정돈되면서도 제주 자연 그대로의 감성이 담긴 숲길이다. 특히, 삼나무 사이로 쏟아지는 빛이 조명과 같아 사진 명소로 많은 이들이 찾는다. 200m의 짧은 숲길이지만 사진 속의 행복함과 그 분위기만큼은 오래 기억될 것이다.

◉ 제주시 조천읍 교래리 719-10

도토리키친 청귤 슬라이스가 들어간 상큼한 소바

상큼한 청귤과 수제 쯔유가 만나 청귤 메밀이 되었다. 밑에 있는 소스와 함께 섞어 먹으면 다른 메밀에서는 맛보지 못했던 향과 맛이 난다. 청귤은 비타민 함유량이 많아 다이어트와 노화 방지에 좋으며 콜레스테롤 수치를 낮춰 혈관 질환 예방에도 도움이 된다. 세트로 함께 먹는 유부초밥 위에는 당근과 톳이 올라가 있어 아삭하게 씹히는 식감이 특히나 좋다.

◉ 제주시 북성로 59 1층 ☎ 064.782.1021

 Editor's TIP
작가가 추천하는 가장 제주스러운 곳이에요. 제주의 감성이
물씬 풍기는 러닝 사진을 남기고 싶다면 꼭 달려 보세요.

숲의 호흡을 함께 느끼는 선흘리

RUN THE JEJU

13

· 코스 정보 ·

\#동백동산 \#곶자왈 \#람사르습지
\#선흘리 \#면물깍

동백동산   5km

"이어폰을 내려놓고 숲의 소리를 들어요.
자연의 숨소리를 느끼고 발견하는 재미가 있어요."

- 난이도   하
- 러닝 시간   40분
- 워킹 시간   80분
- 주소   제주시 조천읍 동백로 77

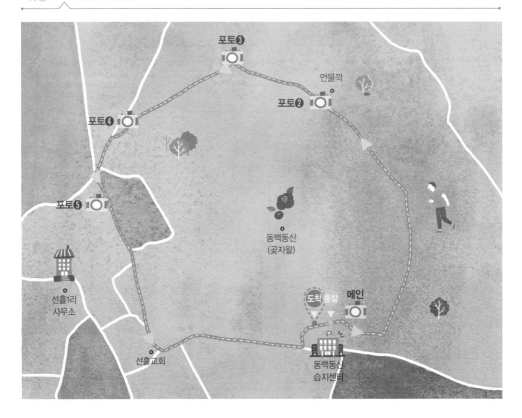

동백동산습지센터 > 상돌언덕 > 먼물깍 > 선흘교회 > 원점 복귀

1 때론 눈을 감고 넝쿨과 바위, 습지가 들려주는 소리에 집중해 보세요.
2 1번부터 52번까지 나무의 번호판 숫자를 찾으며 탐방하는 재미가 있어요.
3 곶자왈에서만 만날 수 있는 자연을 찾아봐요. '판근'과 '콩짜개덩굴'이 숨은 요정이에요.
4 붉은 동백꽃이 피어난 동백동산을 달리고 싶다면 3월을 추천해요.

CAUTION

1 지정된 탐방로를 이용해 동백동산에 깃든 자생 식물과 동물을 보호해요.
2 우거진 나무 탓에 낮에도 초저녁처럼 어두우니 늦은 시간에는 달리지 않아요.
3 습지 근처에는 멸종 위기 뱀이 서식해요. 물가 가까이에 가지 않아요.
4 바위와 돌이 많아 발 디딜 곳을 분명히 확인하고 발목을 조심해요.

달리기는 나의 숨골 이진호 님

동백동산에 들어서자 신기하리만큼 시원한 공기가 온몸을 감싸 안는다. 마치 다른 차원의 세계로 들어가는 것처럼 '상쾌함'이라는 단어가 잘 어울리는 곳이다. 곶자왈은 숲을 뜻하는 '곶'과 돌을 뜻하는 '자왈'이 합쳐져 만들어졌다. 화산이 분출할 때, 용암이 여러 바윗덩어리로 나뉘면서 나무와 덩굴 식물 등이 함께 뒤섞여 이뤄 낸 숲이다. 사시사철 푸른빛을 내뿜는 덩굴 식물이 나무 기둥과 바위를 감싸고 있어 겨울에도 초록 물결이다. 덕분에 사계절 내내 여름인 것처럼 기분 좋은 가벼움을 만든다. 동백동산은 살아 있는 생태계로 제주의 허파를 담당한다. 풀과 나무는 서로 자생하며 자라고 바위는 '숨골'을 통해 살아 숨 쉰다. 달리며 다리 사이로 등골이 오싹할 만큼 시원한 바람이 불어오는 것이 숨 쉬는 제주의 모습이다.

이곳을 달리는 이진호 님은 이직의 과정에서 두 개의 선택지 앞에 섰다. 서울의 회사와 제주의 회사. 익숙한 곳을 떠나 새로운 터전을 만드는 것엔 늘 용기가 필요하지만 '답답한 서울을 벗어나면 어떨까?'라는 생각에 제주를 택했다. 아는 사람도 없던 그에게 숨골이 된 건 달리기였다. 바깥 공기를 마시고 햇볕을 흡수하며 우울에서 빠져나오는 숨구멍. 심지어 회사 생활 적응에도 도움이 되었다. '마라토너'라는 소개는 충분히 매력적이다. 러닝이 취미여야 하는 이유는 없지만, 러닝이 취미가 된다면 다른 취미가 더욱 수월해진다. 진호 님은 러닝을 한 뒤로 10㎏ 체중 감량에도 성공했다. 몸이 가벼워지고, 체력이 좋아지니 평소 좋아하던 산과 여행에 더 큰 즐거움을 느낀다. 생명을 주고 숨결을 주는 곶자왈의 숨골처럼 달리기는 그에게 숨골이다. 곶자왈은 빨리 달리지 않아도 된다. 나만의 페이스로 달리는 호흡을 일러 줄 것이다.

놀멍 LET'S ENJOY

곶자왈 세계 유일의 열대 식물과 한대 식물이 공존하는 곳

울퉁불퉁한 암괴지대와 서로 뒤섞인 덤불로 인해 버려진 땅이라 여겼던 곶자왈이 재조명된 것은 20년이 채 되지 않았다. '곶자왈'은 연중 온도 변화가 적은 독특한 미기후 덕분에 저마다 다양한 동식물이 살아가며 지하 깊은 곳까지 암반이 이어져 있어 제주의 생명수이자 살아 있는 생태계다. 곶자왈은 중산간 지역에 분포되어 있으며 '한경·안덕', '애월', '조천·함덕', '구좌·성산' 지대가 제주 4대 곶자왈이다.

카페 더 콘테나 체험이 가능한 감귤농장카페

귤 농장에서 흔히 사용하는 노란색의 플라스틱 바구니, 콘테나가 거대하게 세워진 이색 건축 카페다. 음료가 만들어지면 도르래 수레에 음료를 실어 1층으로 내려보내는 것도 이곳만의 매력. 청년 농부가 운영하는 감귤 농장에서 직접 수확한 감귤 주스가 대표 메뉴이며 감귤 따기 체험도 가능하다. 농사로 인해 비정기적 휴무일이 있으니 SNS를 통해 반드시 휴무일을 확인하자.

◉ 제주시 조천읍 함와로 513 ☎ 0507.1338.5130

곳자왈에 가면 제주에서 가장 원시적인 모습을 발견할 수 있어요. 어수선하고 뒤엉켜 자라는 나무에서부터 화산섬의 숨골까지 길 위의 경이로운 생명력을 관찰하면서 달려요.

동백동산 습지센터 살아 있는 자연과 습지를 품은 마을, 선흘리 곶자왈

나무를 보지 말고 숲을 보라지만 동백동산에서만큼은 숲 대신 나무를 보자. 이
곳의 모든 생명은 살아 있고, 호흡한다. 람사르습지와 유네스코 세계자연유산,
세계 및 국가지질공원까지 지정된 동백동산은 곶자왈 지대로 용암대지 위에 자
리 잡은 숲이다. 특이하게 용암이 식을 때 부서지지 않고 판형으로 남아 연못이
되었는데 그 수가 무려 100여 곳. 그중에 가장 큰 것이 먼물깍이다. 사전 예약을
통해 동백동산의 해설을 들으며 자연에 더욱 깊이 스며들자.

◉ 제주시 조천읍 동백로 77 (선흘리 924번지)   ☎ 064.784.9446
🖰 http://ramsar.co.kr/

비자림로 태곳적 울창한 삼나무와 함께하는 드라이브 코스

피톤치드 가득한 신성한 숲

"달리는 동안에는
좋은 생각만 하게 돼요."

#사려니숲길 #비자림 #비자림로 #힐링 #삼림욕

사려니숲길 10km

- 🏃 난이도 중
- ⏱ 러닝 시간 90분
- ⏱ 워킹 시간 150분
- 📍 주소 서귀포시 표선면 가시리 산 158

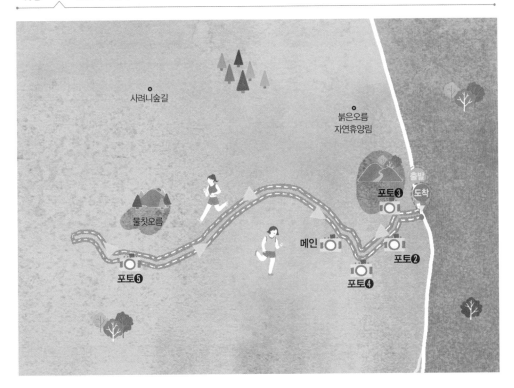

 한라산둘레길(사려니숲길)입구 > 5㎞ 달리기 후 원점 복귀

COURSE TIP

1 사려니숲길은 여러 입구가 있어요. 붉은오름 입구에서 출발해야 해요.

2 오후보다는 오롯이 자연과 나만 마주할 수 있는 아침 러닝을 추천해요.

3 이어폰으로 노래를 듣기보다는 새, 바람, 나뭇잎 소리를 들어요.

4 어두운색보다 밝은색의 옷을 입어요. 자연과 더욱 어울리는 런생샷을 남길 수 있어요.

CAUTION

1 비 온 뒤에 달릴 때는 미끄러울 수 있으니 조심해요.

2 화산송이 흙길이라 흙이 묻어도 무방한 신발을 신어요.

3 많은 동물의 서식지이기도 해요. 소중한 보금자리를 그대로 보호해 주세요.

맛있고 건강하게 달리는 그녀들의 방법 **박미선, 이경은 님**

사려니숲을 따라 자박자박 달리다 보면 신성한 느낌이 드는데 사려니는 '신성한 숲'이라는 의미를 품고 있다. 상쾌한 삼나무와 그 향에 폭 감싸인 느낌이 이름과 매우 잘 어울린다. 사려니숲 러닝을 시작하기 위해서는 사려니 입구가 아닌 붉은오름 입구 서귀포시 표선면 가시리 산158-4로 가야 한다. 하늘 높이 솟은 나무들을 따라 안으로 들어가면 산림욕의 매력에 절로 빠져들기 시작한다. 삼나무뿐 아니라 편백부터 참나무 등 다양한 식생들이 빽빽하게 들어서 있어 제아무리 무더운 날에도 시원해 사려니숲길 안에 있는 것만으로도 힐링이다. 어느새 영화 속 주인공이 된 듯 나무와 참새들과 친구가 되기도 한다.

박미선 님과 이경은 님은 제주로 런트립을 통해 만났다. 처음 만났지만 제주 곳곳을 달리고 여행하는 사이에 가까워졌다. 그중 한 코스가 사려니숲길이었다. 그리고 빨리 친해질 수 있던 공통의 관심사는 '음식'. 박미선 님은 날씬한 몸매와 다르게 대식가다. 좋아하는 음식을 걱정 없이 먹기 위해서는 달리기가 필수였다. 다이어트를 위해 시작했지만, 지금은 러닝 자체의 즐거움으로 달린다. 이경은 님 역시 주로 혼자 달리다 보니 그녀만의 작은 목표를 세웠다. '카페까지 달려 아메리카노를 마시자', '칼국수 집에서 저녁을 먹자' 등으로 음식점을 목표 지점으로 세워 또 다른 행복을 만드는 것이다. 성취감은 물론이고 나에게 선물까지 주는 방법이다. 어쩌면 가장 맛있고 건강한 한 끼는 운동 후에 먹는 음식이 아닐까? 정신까지 맑아지는 피톤치드가 더해지면 더할 나위 없다. 맛있고 건강하게 달리는 그녀들의 방법을 따라 해 보자.

놀멍 LET'S ENJOY

비자림 천 년의 비자나무 숲

천연기념물 제374호인 비자나무 2,800여 그루가 밀집한 곳으로 세계적으로 보기 드문 비자나무 숲이다. 예부터 비자나무 열매는 구충제로 쓰이고, 나무는 고급가구나 바둑판을 만들었으며 비자나무 숲의 삼림욕은 정신적·신체적 피로 회복을 도울 만큼 우리에게 많은 것을 나누어 준다. 숲 입구에 들어서면 피톤치드 머금은 기분 좋은 향기가 퍼져 나온다. 비자림뿐 아니라 희귀 난과 식물도 자생하고 있어 아기자기한 보물찾기가 가능하다. 더욱 다양하고 숨은 이야기를 듣고 싶다면 해설 프로그램을 이용하자.

◉ 제주시 구좌읍 비자숲길 55 ☎ 064.710.7912
🏛 관람 시간 매일 09:00~17:00 ⓢ 입장료 성인 3,000원 청소년 1,500원

광동식당 원하는 만큼 두둑이 먹을 수 있는 두루치기

특수부위인 생가브리살의 도톰한 식감과 고소함이 특징이다. 반찬으로 나오는 짭조름한 멜젓과 함께 먹으면 제주의 맛이 완성된다. 특히 두루치기는 원하는 만큼 불판에 올려놓고 구워 먹을 수 있어 운동 후, 두둑이 먹기에 좋다. 양이 부족하면 언제든 리필도 가능하다. 제주에서만 맛볼 수 있는 감귤 샐러드가 특이한데 때에 따라 한라봉과 천혜향이 들어가기도 한다.

◉ 서귀포시 표선면 세성로 272 ☎ 064.787.2843

Editor's TIP 사려니숲길은 생각보다 길어요. 아름다운 길에 매료되어 달리다 보면 되돌아오는 길이 너무나도 멀어질 수 있으니, 반드시 돌아올 거리를 계산하며 달려요.

RUN THE JEJU
15
· 코스 정보 ·

#삼다수숲길 #삼다수 #삼나무숲
#건천 #피톤치드

삼다수숲길 2.5㎞

"피톤치드 저장소처럼
들어서자마자 상쾌한 기운이 온몸을 스며요."

- 난이도 **하**
- 러닝 시간 **20분**
- 워킹 시간 **40분**
- 주소 **제주시 조천읍 교래리 산70-24**

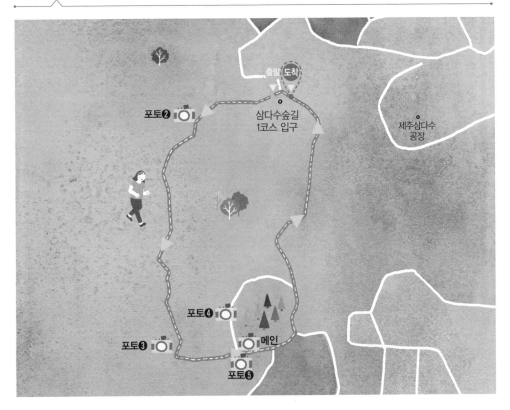

출발　도착

포토❷

삼다수숲길
1코스 입구

제주삼다수
공장

포토❹

포토❸　　　　메인

포토❺

　삼다수숲길 1코스 입구　▷　붓순나무 군락지　▷　삼다수숲길 2코스　▷　원점 복귀　

COURSE TIP

1　곳곳의 벤치에 앉아 맑은 공기를 마시며 여유를 즐겨요.

2　운이 좋다면 노루와 함께 달리는 행운을 만날 수 있어요.

3　봄이면 탐방로에 피는 다양한 야생화와 함께 달릴 수 있어요.

4　총 3개의 코스로 이루어져 있어 원하는 만큼 코스를 늘리고 변형할 수 있어요.

CAUTION

1　물이 고여 있어 미끄러울 수 있으니 발 디딤에 조심해요.

2　인적이 드물어 혼자 달리기보다 함께 달리면 더욱 좋아요.

3　숲길이라 금세 어두워져요. 늦은 오후에는 달리지 않아요.

4　제주 삼다수가 흘러요. 삼다수숲을 보존하는 것이 제주를 지키는 방법이에요.

자연과의 조화를 위해 제주로 이주 온 **김혜진 님**

삼다수 숲길을 달리는 김혜진 님은 작년, 제주로 이주했다. 아웃도어 활동을 좋아해 자주 제주 여행을 왔는데, 도시에서 살다가 이따금 제주로 내려오면 아름다운 자연환경과 여유로운 삶의 모습이 늘 부럽고 간절했다. 그녀는 제주살이를 하면서 본격적인 달리기를 시작했다. 제주의 시원한 바다가 눈앞에 펼쳐진 해안도로를 볼 때면 곧장 '뛰어야겠다!'는 생각밖에 들지 않았다. 가끔은 바다를 보며 달리는 게 지겨워졌을 때, 뜨거운 여름 볕을 피하고 싶을 때, 그리고 자연 속을 누비는 피톤치드가 필요할 때 찾는 곳이 삼다수숲길이다. 한적한 숲길을 달리고 싶다면 삼다수숲길을 달리자. 마치 요정의 세상을 달리는 기분이다.

하늘 높은 줄 모르고 뻗어난 삼나무 군락은 피톤치드의 저장소처럼 들어서자마자 상쾌한 기운이 온몸을 스민다. 촘촘하게 들어선 나무와 나뭇가지가 만든 그늘은 시원하고 포근하다. 아직 많은 사람의 발길이 닿지 않아 때묻지 않은 자연 그대로의 모습이다. 대체로 평탄한 지형이라 초보자도 무리 없이 달릴 수 있으며 야자수 매트가 깔려 있어 안전하다. 또한, 곳곳에 안내 표지판 덕분에 어렵지 않게 길을 찾을 수 있다. 3개의 코스로 나뉜 삼다수숲길은 코스마다 테마가 있다. 2.5㎞ 구간의 1코스는 삼다수는 숲길이지만 2코스와 3코스는 각각 제주조릿대 군락과 건천으로 이어진다. 삼다수의 상류 수원지를 지나는 곳이라 계곡도 만날 수 있다. 코스가 짧다면, 더 깊이 삼다수숲길을 느끼고 싶다면 얼마든지 앞으로 달려 나아가도 좋다. 제주를 충분히 누빌 수 있는 아름다운 숲이다.

놀멍 LET'S ENJOY

삼다수숲길 제주개발공사와 주민이 함께 가꾸고 보존한 숲길

말 방목터이자 사냥터였던 1970년대, 당시 심은 삼나무들이 '30m의 크기로 자라 숲을 이루었고 지역 주민은 오가던 임도에 '삼다수숲길'이란 이름을 붙여 탐방로로 개장했다. '우리나라의 아름다운 숲'과 유네스코 세계지질공원의 대표 명소로 선정될 만큼 자연 그대로의 모습이 조화롭고 신비로운 곳이다. 총 8.2㎞ 트레킹 코스는 삼나무 밀집 지역과 조릿대 지역으로 나뉘며 조릿대 군락 옆으로는 건천이 이어진다. 건천을 따라 단풍이 흐드러지고, 물이 흐르는 제주 삼다수숲을 거닐어 보자.

◉ 제주시 조천읍 교래리 산70-1

슬슬슬로우 돔베라면이 맛있는 퓨전 음식점

돔베1기가 올라간 라면집으로 돔베라면은 일큰한 뻘간 국물이며, 제주식 돔베라면은 몸국 베이스의 흰 국물이다. 고추기름이 올라가 알싸한 맛을 원한다면 일반 돔베라면을, 매운맛보다 고소함을 더 느끼고 싶다면 제주식 돔베라면을 추천한다. 제주 가정집을 닮은 현대적인 인테리어는 포근한 마음과 편안함까지 안겨 주며 곳곳은 귀여운 인테리어 소품으로 가득하다. 재료 소진 시 조기 마감되며, 대기가 있을 수 있다.

◉ 제주시 구좌읍 덕행로 207 1층 ▬ 010.9261.9284

Editor's TIP 삼다수숲길 1코스 중간에는 천미천으로 용암이
흘러내려 간 흔적으로 발견할 수 있어요. 제주만이
간직한 하천 지형을 탐방해 보아요.

하늘과 가장 가까운 구름 위 달리기

#한라산 #성판악 #사라오름
#관음사 #트레일러닝

한라산   19.6km

"구름 위를 달리면
모든 것을 다 가진 기분이에요."

🏔 난이도   최상

⏱ 러닝 시간   210분

⏱ 워킹 시간   300분

📍 주소   제주시 조천읍 516로 1865

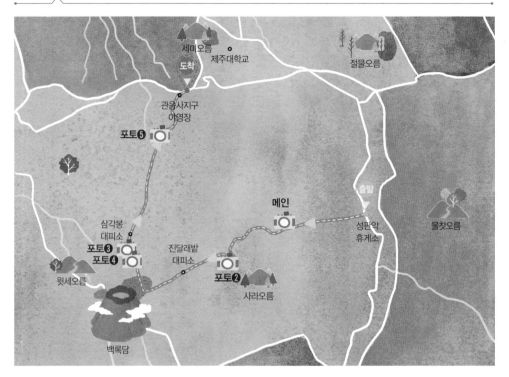

 성판악주차장 ▷ 사라오름 ▷ 백록담 ▷ 관음사지구야영장

COURSE TIP

1. 가파르고 돌이 많으니 조급하게 달리거나 무리하지 않아요.
2. 계단은 한 칸씩 올라요. 체력을 안배해야 끝까지 즐길 수 있어요.
3. 코스를 반대로 달리면 완전히 다른 경치를 만날 수 있어요.
4. 화장실이 보인다면 미리 이용하는 것이 좋아요.

CAUTION

1. 비가 온 뒤의 한라산은 미끄러우니 반드시 접지력 좋은 트레일러닝화를 착용해요.
2. 여름이라도 정상은 춥고 기상 변화가 심해요. 바람막이를 지참해요.
3. 반드시 식수를 챙기고 지정 탐방로를 이용해요. 안전을 위해 여럿이 함께하는 탐방을 추천해요.
4. 계절별 및 기상 이변에 따라 입산 시간을 통제해요. 반드시 홈페이지를 참고하세요.

#자연유산 보호를 위해 탐방예약제를 시행해요.
  성판악 1,000명, 관음사 500명으로 일일 제한하니 홈페이지(https://visithalla.jeju.go.kr)를 통해 예약 신청 후 방문하세요.

한라산을 달릴 수 있어 행복한 트레일러너 **변인재 님**

변인재 님은 한라산을 달리는 트레일러너다. 제주도를 크게 둘러 163㎞를 달릴 정도로 제주를 사랑한다. 로드를 달리면 나도 모르게 속도에 집착해 부상을 당하거나 달리기를 즐기지 못하지만, 산을 달리면 속도보다는 나의 몸과 마음에만 집중할 수 있어 트레일러닝을 더 좋아한다. 특히, 달리고 내려와 '운동 종료' 버튼을 누르는 순간은 짜릿하다. 동시에 그는 '한라산에서 달리지 못하면 어쩌지?'라는 생각에 애틋해지기도 한다. 2020년은 많은 대회가 취소되어 목표를 이루지 못했지만, 대신 홀로 달리며 훨씬 많은 장거리를 달렸다. 언제나 참가자가 혼자인 레이스라 늘 최고의 러너가 될 수 있었던 경험은 새로운 삶의 지혜도 알려 주었다. 앞으로도 그는 경쟁보다 달리는 즐거움을 이어 나가려 한다.

그가 사랑하는 한라산은 현무암과 높은 고도에 강한 심장과 발목 훈련이 가능한 코스다. 성판악과 관음사 코스는 백록담까지 오를 수 있어 많은 탐방객이 찾는다. 성판악휴게소에서 출발하면 처음에는 갖가지 나무가 우거져서 삼림욕에 좋다. 사라오름입구와 진달래밭대피소를 지나 정상까지는 대체로 완만해 큰 무리 없지만 긴 거리인 만큼 체력 분배에 신경 써야 한다. 사라오름에서는 분화구에 사는 노루를 만날 수도 있다. 한라산의 정상인 백록담에 오르면 경이로움에 힘들었던 순간들이 눈 녹듯 사라진다. 탁 트인 배경과 함께 호흡을 가라앉혔다면 이제 신나게 내려갈 일만 남았다. 관음사는 계곡이 깊고 산세가 웅장하다. 급격한 경사로 힘들기도 하지만 그로 인한 주변 풍경은 장관이다. 코스를 여유롭게 누리고 싶다면 주말보다 평일 입산 시간을 이용하자. 대한민국 가장 높은 곳에 누구보다 먼저 올라 모든 것을 온전히 내 것으로 만드는 기분은 말로 표현이 어렵다.

놀멍 LET'S ENJOY

사라오름 깨달음을 얻을 수 있는 한라신의 신정호수

연중 물이 고여 있는 한라산의 산정호수로, 물이 적은 시기에는 바닥을 드러내기도 하지만 장마철에는 데크 위로 물이 찰랑거릴 정도의 물 가득 찬 사라오름을 볼 수 있다. 또한, 겨울에는 마치 거대한 아이스링크장을 방불케 한다. 사라오름 분화구는 제주도 6대 명당 중 제1명당으로 손꼽힌다. 신성한 산이나 지역을 의미하는 '사라'처럼 사라오름에 서 있으면 그간 힘들었던 순간들이 모두 사라지는 느낌이다.

◉ 서귀포시 남원읍 신례리 산2-1

신설오름 새벽에도 식사 가능한 몸국 전문점

'몸'은 '모자반'의 제주 방언으로, 몸이 듬뿍 들어간 대표 메뉴 몸국은 걸쭉하면서 진하다. 몸국 특성상 부드럽게 넘어가기 때문에 한라산 등반하기 전과 후, 따끈하게 속을 달랠 수 있다. 담백한 맛이지만 얼큰함을 원한다면 청양고추를 조금 넣으면 된다. 아침 8시부터 다음 날 새벽 6시까지 운영하니, 늦은 새벽이나 이른 아침에도 든든하게 식사할 수 있는 도민들의 맛집이다.

◉ 제주시 고마로17길 2 ☎ 064.758.0143

Editor's TIP 천천히 즐기는 탐방객이 대부분이라 빠르게 오르고 내려올 때면 앞사람이 놀라지 않도록 "지나가겠습니다."라고 말하는 것이 에티켓이에요.

한라산 대한민국에서 가장 높이 우뚝 설 수 있는 곳, 해발 1,947m

수차례의 화산 활동으로 만들어진 산으로 높은 고도만큼 초원 지대부터 고산 식물대까지 뚜렷한 식생의 변화를 관찰할 수 있다. 봄에는 철쭉이 반기고, 가을에는 단풍이 절정에 이르며, 겨울에는 운해가 포근히 안긴다. 총 7개의 탐방로가 있으며 백록담을 가까이서 관찰할 수 있는 탐방로는 성판악과 관음사이다. 탐방 전 한라산 탐방 예약은 필수다. 영실과 어리목 코스는 백록담을 마주할 순 없지만 비교적 짧은 코스로 쉽게 등산할 수 있으며 백록담만큼이나 아름다운 광경을 누릴 수 있다.

◉ 서귀포시 토평동 산 15-1 　☎ 064.713.9950
🔍 http://www.jeju.go.kr/hallasan/index.htm

백록담과 녹담만설 천혜의 자연 경관, 우리나라에서 가장 높은 산정화구호

한라산 정상의 분화구로 둘레 1,720m, 깊이 108m인 산정화구호. 옛 모습이 잘 보존되어 있어 학술 가치가 크고 경관이 빼어나다. 백록담에 관한 많은 전설이 있는데 대부분은 사슴이다. 그만큼 사슴이 많이 살았던 제주의 특징을 살려 '백록담'이라는 이름을 갖게 되었다. 겨울이면 많은 눈이 내리는데 그 눈이 여름까지 남아 있어 '녹담만설'이라고도 한다. 하지만 지금은 이상기온으로 인해 백록담의 물이 점점 줄어들고 있다. 천혜의 자연 경관을 지키기 위해 당장 우리가 할 수 있는 것들을 실천하자.

◉ 서귀포시 토평동 산 15-1

제주시 애월읍 **장구목오름**
제주도 최고 높은 곳에 위치한 오름, 한라산 천연보호구역

밭담 제주시 구좌읍
거센 바람에도 끄떡없는 삶의 지혜

제주를 대표하는 에메랄드빛 바다

17

· 코스 정보 ·

#함덕해수욕장 #해변 #서우봉 #일출런 #캠핑장

함덕   11km

🌄 난이도 중

◎ 러닝 시간 70분

◎ 워킹 시간 140분

◎ 주소 제주시 조천읍 조천리 913-2

"마음이 흐린 날에 와노 좋아요.
언제나 맑은 빛의 물로 반겨 주는 곳이에요."

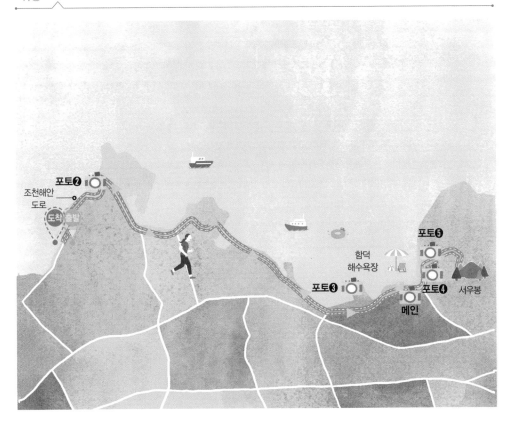

 조천해안도로 전망대 > 함덕해수욕장 > 서우봉 > 원점 복귀

COURSE TIP

1 주황빛의 바다를 본 적 있나요? 일출 러닝에 도전해 보세요.

2 달리다가 더우면 물에 뛰어들어도 좋아요. 햇빛에 말리고 다시 달리면 돼요.

3 함덕 해변의 무료 야영장에서 캠핑도 즐길 수 있어요.

CAUTION

1 가족 단위의 관광객이 많아 달리면서 부딪히지 않도록 주의해요.

2 해가 쨍한 날에는 반드시 선크림을 바르고 모자를 착용해요.

스스로 선택한 인생을 만드는 **김인경 님**

노량진에서 유치원 임용고시를 준비했던 김인경 님은 고민에 빠졌다. 서울에 남을지, 고향 울산에 내려갈지. 그러던 중 저렴한 항공권에 무언가에 이끌리듯 제주로 내려왔다. 제주에서의 짧은 일주일은 그녀의 20대를 완전히 바꾸었다. 그녀는 현재 3년째 제주에서 헬스 트레이너를 하는 중이다. 아이에서 어른으로 대상이 바뀌었을 뿐, 듣고 싶었던 '선생님' 호칭은 여전하다. 처음 제주에 왔을 때, 낯섦에 몸과 마음이 힘들었던 그녀에게 제자리를 찾을 수 있도록 도와준 곳이 바로 '함덕'이다.

조천 해안도로 전망대 정자에서 시작한 러닝 코스는 바다를 끼고 서우봉까지 달린다. 해변에는 여러 조형물이 있어 볼거리를 안겨 주는데, 특히 구름 모양의 나무다리는 바닷속으로 빠져드는 느낌이다. 그대로 서우봉까지 뛰어 올라가면 희열과 뿌듯함까지 느낄 수 있다. 서우봉은 일출과 일몰 명소이기도 하다. 바닷가를 달리면 무엇 때문인지 모르겠지만, 잡생각이 사라진다. 아마 바다가 보내오는 잔잔한 파도 소리가 마음을 위로하듯 토닥이는 건지도 모른다. 이러한 이유로 그녀 역시, 함덕에 오면 마음이 편해진다. 그녀는 또래 친구들에게 말한다. "당장의 해답을 찾기보다는 잠시 벗어나는 것만으로도 큰 용기와 위로가 되었어요." 그리고 덧붙인다. "사랑하는 엄마, 아빠. 믿어 줘서 고마워요. 사랑합니다."

놀멍 LET'S ENJOY

함덕 해변과 서우봉 오름에서 내려다보는 에메랄드의 함덕 해변

함덕은 맑은 에메랄드 바다와 흰 백사장, 푸른 잔디와 검은 현무암이 만나면서 수채화 풍경을 이룬다. 특히, 수심이 얕고 경사가 완만해 아이들과 해수욕을 즐기기 좋으며 바다가 잔잔해 카약을 즐길 수 있다. 서우봉에 올라갈 때는 가파른 언덕에 숨이 차지만, 올라서서 뒤를 돌아보면 펼쳐지는 풍경에 말을 잃는다. 둘레길과 산책로, 숲길 등 다양한 길이 조성되어 있어 원하는 코스로 산책할 수 있다. 봄에는 유채꽃으로 노랗게 물들고, 가을이면 코스모스 주황빛으로 물든다.

◉ 제주시 조천읍 함덕리 169-3 ☎ 064.784.9446
🔍 http://ramsar.co.kr/

햇살가득돌담집 가성비 좋은 흑돼지고기 쌈밥정식

불향을 가득 머금은 흑돼지 양념구이와 고등어구이, 해산물 된장찌개, 그리고 각종 나물이 함께 나온다. 이곳의 매력은 신선하고 커다란 쌈. 성인 얼굴을 가릴 만큼 큰 쌈이라 평소 쌈을 좋아하지 않던 이들도 다양한 쌈에 고기를 먹을 정도로 싸 먹는 재미가 있다. 강된장도 감칠맛을 돋운다. 가정집을 개조한 인테리어가 고향 집에서 밥을 먹는 듯한 편안한 기분을 안겨 준다.

◉ 제주시 조천읍 함대로 25-1 ☎ 064.784.2200

Editor's TIP

조천해안도로 곳곳에 정자가 설치되어 있어요.
정자에서 잠시 바다 경치를 즐기면서 쉼을 가져도
좋아요.

하얀 백사장과 풍차 해안이 반기는 곳

RUN THE JEJU

18

· 코스 정보 ·

#김녕해변 #김녕오조해안도로 #월정리해변
#청굴물 #아름다운제주국제마라톤

김녕 10km

"해녀 할망이 바닥에 말려 둔 해산물 보며

달려 본 적 있나요?"

🌀 난이도 **중**

◎ 러닝 시간 **70분**

◎ 워킹 시간 **130분**

◎ 주소 **제주시 구좌읍 김녕로 209**

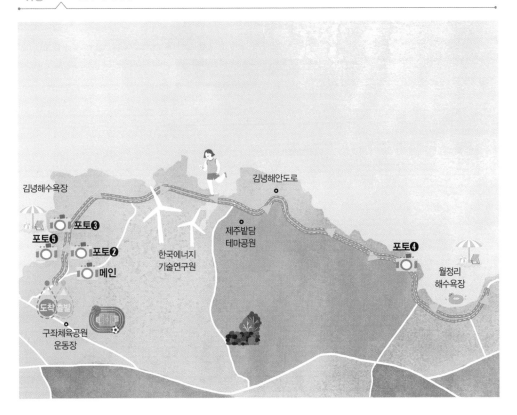

 구좌 종합운동장 ＞ 김녕오조해안도로 ＞ 월정리 해수욕장 ＞ 원점 복귀

COURSE TIP

1 김녕해수욕장은 일몰 명소이기도 해요. 노을 질 때 달려 보세요.
2 아름다운제주국제마라톤 대회에 참가해 완주의 기쁨을 누려 보세요.
3 김녕해변에서 요트투어나 스노클링, 윈드서핑 등 다양한 레포츠를 즐길 수 있어요.

CAUTION

1 김녕해수욕장의 현무암은 미끄러워요. 넘어지지 않도록 주의해요.
2 코너 길에는 주행하는 차량이 보이지 않으니 반드시 도보로 달려요.
3 해녀 할망이 말려 둔 해산물은 반드시 눈으로만 구경해요.

달리기 문화를 만드는 국내 최초 러닝전도사 **안정은 님**

제주에는 유네스코 세계지질공원을 활용해 지질자원과 마을의 역사·문화를 알리는 '지질트레일' 6개가 있다. 그중 하나가 김녕·월정 지질트레일로 자연은 물론이고, 마을의 문화와 역사까지 두루 둘러볼 수 있는 훌륭한 러닝 코스가 되어 준다. 구좌종합운동장에서 출발해 김녕 해안도로를 지나 월정리해변까지 이어지는 길은 '아름다운 제주국제마라톤' 대회의 공식 코스이기도 하다. 김녕의 해변을 달리면 저 멀리 풍력 발전기가 보이는데, 이국적인 풍경과 함께 손에 잡힐 듯 말 듯 재미까지 더한다. 시원하게 부는 바람과 코발트색의 바다는 지상낙원을 달리는 듯 멈출 수 없는 러너스하이 runners high 를 선사한다. 곳곳에 해녀 할망이 말려 둔 해산물을 구경하며 달리다 보면 반환점의 월정리 카페거리에 닿는데, 이곳에서 잠시 쉬며 여유를 즐겨 보자.

그녀는 국내 최초 '러닝전도사'라는 타이틀로 이 책의 공동 저자이자 러닝이벤트 회사 '런더풀'의 대표다. 건강한 달리기를 통해 건강한 대한민국을 만드는데, 특히 기부 문화 확산을 위해 달린다. 그녀는 2019년부터 기부와 나눔의 모토인 '아름다운제주국제마라톤'의 홍보대사이기도 하다. 그 외에 다양한 기부 러닝 이벤트를 기획하는데 250㎞의 몽골 고비사막 마라톤을 달리고 '한국소아암재단'에 기부를 하는가 하면, 저소득 소녀들의 생리대 자판기 설치를 위해 '모닝글로리런 버츄얼 마라톤'을 진행했으며, 매년 성탄절 당일, 경동원 아이들에게 크리스마스 선물을 나눈다. 그녀는 단순히 개인의 달리기를 넘어 함께 달리는 의미를 더하고 나눔의 즐거움을 곱해 선순환 되기를 바란다. 넉넉하고 편안한 마을 '김녕'과 아름다운 반달을 닮은 마을 '월정'의 이름처럼 그녀와 함께 김녕과 월정에서 넉넉하고 아름다운 러닝을 즐겨 보는 건 어떨까?

놀멍 LET'S ENJOY

김녕 청굴물 만병 치료의 신비한 용천수

몸을 담그면 만병이 치료된다는 속설의 용천수. 대부분의 용천수는 수온이 15도 안팎으로 일정하게 유지되는데 그중 '청굴물'은 차갑기로 소문났다. 그 덕분에 여름철이면 많은 이들이 병을 치료하고 더위를 식히기 위해 모여들었다. 밀물 때는 물에 잠겨 보이지 않다가 썰물 때만 나타나는 신비한 자연의 수영장. 간조와 만조 사이에 방문하면 풍부한 용천수를 만날 수 있다. 여전히 아는 사람들만 방문한다는 제주의 옛 추억이 가득한 곳이다.

◉ 제주시 구좌읍 김녕리 1296

상춘재 제주의 향을 맛보는 해산물 비빔밥

청와대 한식 전문 요리사가 제주에 오픈한 비빔밥 전문점으로, 제주의 향을 가득 머금은 해산물이 온갖 채소와 함께 올라가 있다. 같은 양념장임에도 멍게, 문어, 새꼬막 등 재료 본연의 향과 신선함이 묻어나 신기하게도 각기 다른 맛을 낸다. 아이들은 꼬막 비빔밥을 추천하며 쫄깃한 식감을 원한다면 뭉개돌문어 비빔밥도 제격이다. 5~9월에 판매하는 계절음식 성게 비빔밥도 있다.

◉ 제주시 조천읍 선진길 26　☏ 064.725.1557

Editor's TIP

카드 한 장을 소지해 달리기를 추천해요.
반환점인 월정리해수욕장에서 그냥 돌아오기 아쉬울 때가 있어요.

아름다운제주국제마라톤 대회 　기부와 나눔을 실천하는 아름다운 마라톤 대회

매월 10월에 열리는 대회로 '아름다운'에는 세 가지 의미가 있다. 먼저, '대한민국에서 가장 아름다운 자전거길 100선'에 선정될 만큼 아름다운 김녕과 월정리의 해안도로를 달린다. 또한, 참가비 일부가 어려운 이웃들을 위한 성금으로 사용되는 아름다운 기부와 나눔의 레이스. 지난 대회 11회 동안 총 2억 3,800만 원을 국내외 소외 이웃에게 나눔 했다. 마지막으로 이곳을 달리는 참가자 역시 아름답다. 초등학교 학생들이 매일 운동장 한 바퀴에 100원씩 모아 일 년간 저금한 저금통을 기부하기도 한다. 달리기 좋은 계절에 누구나 함께 즐길 수 있는 힐링의 레이스. 독립언론사 '제주의 소리'와 '제주특별자치도육상연맹'에서 주최·주관하고, 제주특별자치도에서 후원하는 행사이며 대회장까지 무료 셔틀버스가 운행한다.

🖥 기간 매년 10월　♻ 종목　5km, 10km, Half

🔍 marathon.jejusori.net

김녕해수욕장 　제주도민이 인정한 새하얀 백사장

코발트빛의 깨끗한 바다, 하얀 모래. 그리고 풍차가 펼쳐진 김녕해수욕장은 넓은 백사장 덕에 웨딩 스냅 장소로도 큰 인기다. 수심에 따라 달라지는 바다 색깔은 김녕해수욕장의 매력을 더욱 다채롭게 만든다. 멀리 김녕항의 모습도 보이는데 그 뒤로 펼쳐지는 일몰은 그림 같다. 거대한 바위 용암 위에 모래가 쌓여 만들어진 이곳은 기암절벽과 어우러진 특이한 지형에 '지질트레일'로 조성되었다. 화장실과 탈의실, 샤워장, 야영장 등 편의 시설과 윈드서핑과 수상스키 등의 즐길 거리 가득한 제주의 대표 해수욕장이다.

◉ 제주시 구좌읍 김녕리 497-4

제주를 달리는 64가지 방법

"분화구 둘레길을 달리면
롤러코스터를 타는 것처럼 나는 기분이에요."

RUN THE JEJU
19
· 코스 정보 ·

#다랑쉬오름 #월랑봉
#아끈다랑쉬오름 #트레일러닝

다랑쉬오름 2.2km

◎ 난이도 **하**

◎ 러닝 시간 **30분**

◎ 워킹 시간 **40분**

◎ 주소 **제주시 구좌읍 세화리 2705**

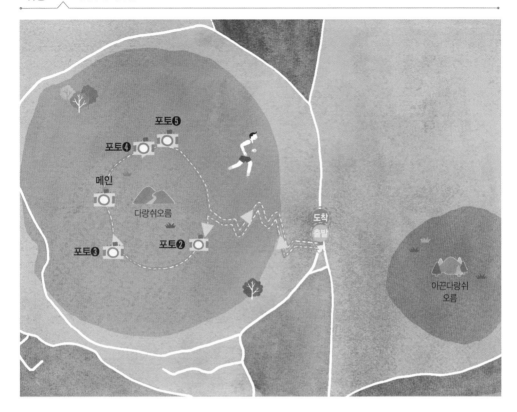

 다랑쉬오름 주차장 ＞ 다랑쉬오름 ＞ 원점 복귀

COURSE TIP

1 오름에 오르면 성산일출봉과 저 멀리 우도까지 한눈에 보여요.
2 근처의 오름을 미리 공부하면 정상에 올라 오름을 찾는 재미가 있어요.
3 등산로 입구에 해충기피제 분사기가 있으니 미리 뿌리고 올라가요.
4 코스가 짧아 아쉽다면 여러 바퀴 돌거나 근처의 아끈다랑쉬오름까지 올라가요.

CAUTION

1 자연 보호를 위해 분화구 안에는 들어가지 않아요.
2 소나무 군락지가 있어 봄에는 송홧가루가 날릴 수 있어요.
3 정상은 길이 좁고 가파르니 한 줄로 달려요.

제주에서 군대 생활을 하며 오름을 사랑한 **김강산 님**

김강산 님은 제주도에서 군 생활을 보냈다. 21개월의 해병대 군 복무와 6개월의 직업군인 기간을 합친 총 27개월을 제주와 함께했다. 고향을 떠나 오랜 시간을 보내면서 마음이 힘들 때마다 오름을 탐방했다. 오름을 달리고 내려오면 상쾌함과 함께 자신을 이겨 낸 성취감에 다시 마음을 잡고 생활할 수 있었다. 사실 그는 중·고등학생 시절 4년간 중장거리 육상 선수였다. 20살이 되던 해, 부상으로 육상 선수를 그만두고 대학교에서 생활체육을 전공했지만, 군대와 사회에 나온 뒤로도 꾸준히 달린다. 좋아하던 운동도 꾸준히 이어 가기 쉽지 않은데 이렇게 오랜 시간 달리기를 즐길 수 있는 이유는 무엇일까? 그는 기록과 운동 횟수 등 숫자에 가두지 않고 자유롭게 달리기 때문이라 말한다.

그는 여전히 추억 가득한 제주를 달린다. 다랑쉬오름은 '오름의 여왕'으로 알려졌다. 우아한 균형미 덕분에 구좌 일대 오름 중, 단연 여왕의 자리를 차지했다. 해발고도 381m로 높은 편은 아니지만, 동부 지역에서 가장 높은 오름이라 지그재그로 올라가는 계단 길이 생각보다 가파르다. 주변으로 무성히 자란 갖가지 들풀을 지나 정상에 오르면 분화구가 우리를 기다린다. 화구의 둘레는 1,500m, 깊이는 115m로 한눈에 담지 못할 만큼 웅장하다. 백록담의 깊이 108m와 비슷하다. 정상을 따라 한 바퀴를 따라 달리면 아래에서 보았던 모습보다 더욱 웅장해 그 안으로 빨려 들어가는 기분이다. 특히, 맑은 날에 만나는 해돋이와 해넘이는 환상이다. 분화구 가까이를 달릴 수 있는 다랑쉬오름에 올라 보자. 모양과 생김새가 같은 오름은 그 어디에도 없다.

놀멍　　LET'S ENJOY

다랑쉬오름과 다랑쉬굴　아픈 역사를 가진 잃어버린 마을

제주 설화 속 오름은 설문대 할망이 치마로 흙을 날라 한 줌씩 놓은 것인데 특히, 흙을 너무 솟게 놓아 손으로 쳐 현재의 움푹한 모습이 된 것이 다랑쉬오름이다. 분화구에 달이 뜬 것 같아 '월랑봉'이라는 이름도 있는 다랑쉬오름은 제주의 아픈 역사를 품고 있다. 다랑쉬마을은 제주 4·3 때, 토벌대에 의해 강탈당했다. 조금 떨어진 곳에 굴을 만들어 숨어 지냈지만, 곧 연기에 질식할 수 밖에 없었다. 다랑쉬굴은 마을 사람들도 찾기 어려울 정도로 깊숙한 곳에 있어 40여 년 만에 유해를 꺼냈고, 현재 굴의 입구는 다시 폐쇄되었다.

◉ 제주시 구좌읍 세화리 산6

풍림다방　커피가 맛있는 레트로 감성 카페

민가를 고쳐 만든 카페로 예스러운 느낌이 물씬 풍긴다. 벽지부터 러그, 의자와 테이블, 소품 하나하나 레트로 감성이 가득하다. 자리마다 특색이 있어 곳곳이 포토존이다. 진한 라떼 위에 천연 바닐라빈 크림이 올라간 풍림 브레붸와 다크 초콜릿을 직접 녹여 만든 쇼콜라쇼가 시그니처 메뉴다. 물론 기본 아이스아메리카노도 맛있다. 주차 공간이 많아 편리하게 이용할 수 있지만 대기가 있을 수 있다.

◉ 제주시 구좌읍 중산간동로 2267-4　📞 1811.5775

Editor's TIP

다랑쉬오름 정상에 오른 뒤 아끈다랑쉬오름까지 함께 둘러보는 것을 추천해요.
특히 늦가을의 억새가 포근하게 감싸 주는 느낌을 받을 수 있어요.

신들도 소원 비는 마을, 송당리 소원길

"이곳을 달리고 나면,
당신의 소원은 이루어져 있을 거예요."

#송당리 #본향당 #신들의어머니 #백주또

당오름   5km

- 🏃 난이도 **중**
- 🏃 러닝 시간 **40분**
- 🏃 워킹 시간 **70분**
- 📍 주소 **제주시 구좌읍 중산간동로 2210**

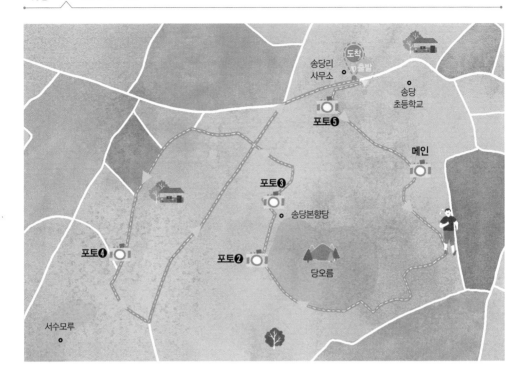

 송당리 사무소 > 당오름 > 송당본향당 > 송당보건진료소 > 원점 복귀

COURSE TIP

1   3월 말에서 4월 초까지의 봄이면 송당본향당의 벚꽃 러닝도 가능해요.

2   코스 끝에 나오는 본향당에서 어떤 소원을 빌지 생각하며 달려요.

3   개인의 컨디션에 따라 숲길, 혹은 마을 길 코스로 거리를 조절해요.

4   본향당 앞은 현무암이 모여 길을 만들었어요. 돌에 걸려 넘어지지 않도록 조심해요.

CAUTION

1   본향당의 입구는 신이 드나드는 길목이기에 길을 터 주어야 해요.

2   곳곳에 마을 주민이 키우는 강아지가 있어요. 묶여 있으나 깜짝 놀랄 수 있어요.

여행자 숙소를 운영하는 **이상준 님**

소원이 이루어지는 소원길이 있다면 어떨까. 제주에는 1만8천 위의 신이 있는데, 그 신당의 원조가 송당본향당이다. 오랫동안 간직했던 나의 소원이 이루어질 것만 같다. 송당리 사무소에서 시작한 러닝은 당오름을 거쳐 소원나무로 향한다. '목가적'이라는 단어가 참 어울리는 마을로, 농촌처럼 소박하고 평화로우면서도 서정적인 곳이다. 소박하게 정돈된 마을은 숨겨 온 감성을 마구 자극한다. 가볍게 즐길 만한 흙길의 업다운 up.down 과 좌우 곡선은 지루하지 않다. 안돌오름과 밧돌오름까지 더하면 10㎞ 러닝도 가능하다.

우리는 일상을 벗어난 여행지에서 활력을 얻고 돌아오지만, 그곳에 머무는 여행자 숙소의 사장님, 이상준 님의 달리기는 어떨까? 그는 제주로 이주한 뒤, 제대로 살기 시작했다. 도시는 늘 바빠 제대로 된 취미 하나 갖지 못했지만, 이곳에 온 뒤로는 수채화나 목공, 서핑, 요리, 달리기 등의 취미를 즐기며 여유를 갖게 된 것이다. 그렇게 여유를 되찾은 그는 여행자에게 송당리의 산책 코스를 소개하며 송당리 주민보다 마을을 더 아끼고 사랑하게 되었다. 달리기 여행은 단순히 그 지역을 달리는 것에 그치지 않는다. 마을 사람들과 동화되고 공감하며 동시대를 살아가는 방법이다. 제주도 사람들은 당에 모셔진 신을 '할망', '하르방'이라 부르며 마치 할머니와 할아버지처럼 마음 공간을 늘 곁에 두는 것처럼 우리도 이곳을 달리며 마음을 둘러볼 수 있는 소박한 소원을 빌어 보자. 목적지에 도착했을 때 이미 우리의 소원은 이루어졌을지 모른다.

놀멍   LET'S ENJOY

송당본향당 1만 8천 위 신神들의 어머니, 신들의 고향

지금의 제주는 쉼을 위한 공간이지만 그 아름다움이 있기 전까지는 이곳을 지키기 위한 거친 투쟁이 있었다. 섬이라는 지역적 한계와 거센 파도를 견뎌야 하는 도민에게 의지할 곳은 신뿐이었다. 그래서 제주 곳곳에는 마을 토주신土主神을 모시는 본향당, 해녀의 풍요를 모시는 해신당, 목축의 산신당 등 다양한 신을 모셨다. 그중 송당본향당은 제주 신당의 원조다. 일 년에 4번 당굿이 열리며 제주특별자치도 지정 무형문화재 제5호로 지정될 만큼 중요한 의식이다. 제가 있는 날은 제주의 풍습과 문화를 볼 수 있지만, 마을 주민에게는 생업의 풍요이자 삶과도 같기에 그들을 방해하거나 절하는 모습을 앞에서 촬영하지 않도록 주의하자.

◉ 제주시 구좌읍 송당리 산 199-1   ▤ 064.728.7712

섭섭이네 사이좋은 어머니와 아들의 요리

백설공주가 사는 듯한 오두막이 고기국수와 카레 전문 음식점이다. 어머니는 국수를 만들고 아들은 커리를 만든다. 퓨전 인도 커리로 카레 향이 진하고 강해 정통의 맛을 느낄 수 있다. 특히, 카레의 팽이버섯 건튀김은 깊은 풍미를 더 한다. 고기국수는 4일 동안 각종 한약재와 과일로 우려 국물이 일품이다. 꼭 공깃밥과 함께 육수를 모두 마시자.

◉ 제주시 구좌읍 중산간동로 2261

Editor's TIP
유독 조용한 마을길 코스예요. 이곳을 달리면 마치
내가 현지인이 된 듯한 기분을 만끽할 수 있어요.

제주를 지키고 마을을 지켜 낸 수호신

· 코스 정보 ·

#별방진 #하도리 #하도해수욕장 #올레길21코스

별방진   5.2km

"유독 조용하고 한적한 하도리를 달리면
마치 수호신이 나를 지켜 주는 듯 몸과 마음이 정화돼요."

🏃 난이도 하

◎ 러닝 시간 40분

◎ 워킹 시간 70분

◎ 주소 제주시 구좌읍 하도리 3354

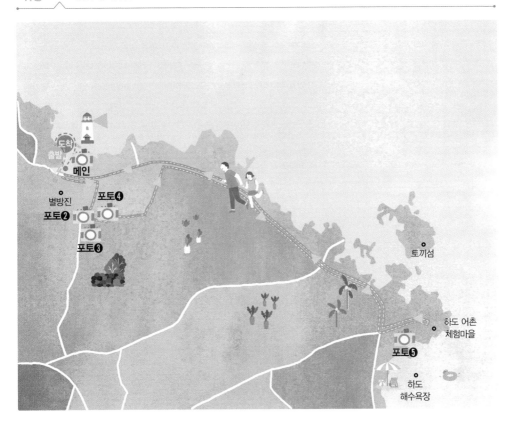

 별방진 ➤ 올레길21코스 ➤ 하도어촌체험마을 ➤ 하도포구

COURSE TIP

1 별방진에 올라 하도리 마을을 둘러보아요. 또 다른 제주의 모습이 펼쳐져요.

2 하도 방파제의 Hado 조형물 앞에서 추억 사진을 남겨요.

CAUTION

1 별방진에 올라설 때는 계단이 높으니 주의해요.

2 토끼섬은 전체가 천연기념물 제19호예요. 자연을 보호해요.

딸의 순수한 마음을 지켜 주고 싶은 아빠 **윤석주 님과 딸 윤채린 양**

소녀의 순수한 미소가 어울리는 하도리의 별방진은 왜구의 침입을 막기 위해 만든 성으로 제주의 수호신 같은 존재다. 회색 도시에서는 결코 얻을 수 없는 감성을 딸에게도 보여 주고 싶은 마음에 윤석주 님은 가족과 함께 제주로 이주 왔다. 이곳에서는 늘 반려견과 친구처럼 걷고 달리는 일상을 보내는데 꽃이 피는 날, 바람이 부는 날, 눈이 내리는 날이면 언제든 집 밖을 걷는다. 장난감 없이도 다양한 색이 있는 제주도의 바다와 모래 덕분에 채린이에게는 모든 것이 장난감이다. 그렇게 소녀의 어린 시절은 초록과 파랑으로 물들어 간다. 아빠 윤석주 님은 서울에서 개그맨을 했지만 지금은 제주에서 피자집을 운영하며 사진을 찍는다. 다양한 색과 뻔하지 않은 자연의 곡선은 그에게 카메라를 들게 했다.

하도리는 제주의 동북쪽 해안가를 중심으로 형성된 마을로 푸른 바다와 하얀 백사장, 오색의 해안도로, 철새 도래지로 유명하다. 별방진에서 시작하는 러닝 코스는 올레길21코스를 따라 하도 방파제까지 이어진다. 야자수 나무와 에메랄드 바다가 이국적인 풍경을 만든다. 달리다 보니 왼편으로 작은 섬이 보이는데 이 섬은 우리나라 유일의 문주란 자생지다. 7월부터 9월까지 하얀 문주란 꽃이 온 섬을 뒤덮는데 그 모양이 토끼 같아 '토끼섬'이라 불린다. 간조에는 토끼섬까지 걸어갈 수도 있다. 유독 조용하고 한적한 하도리를 달리면 마치 수호신이 나를 지켜 주는 듯 몸과 마음이 정화되는 기분이다. 어쩌면 딸의 순수한 마음을 지켜 주고 싶은 아빠의 마음이 제주를 지켜 낸 별방진의 우직하며 한결같은 마음과 같지 않을까.

별방진과 밭담　제주를 지키는 옛 선조의 지혜

사면이 바다인 제주는 왜구의 침입이 많았다. 피해를 막기 위해 축조한 성이 별방진으로 초기 김녕에 있던 진성을 하도리로 옮겼고 하도리의 옛 지명 '별방'을 따 이름을 지었다. 현재는 9개의 진성 중 별방진만 남아있지만 바닷물조차 성안으로 흘러들어 오지 못하도록 단단하게 설계된 만큼 마을을 지키는 큰 수호신이다. 밭을 둘러싸고 있는 돌담도 쉽게 만날 수 있는데 제주 농업 유산이자 제주 선조들의 지혜가 깃든 문화 산물이다. 돌담으로 토지 분쟁이 사라지고 바람을 막아 농작물을 보호했으며 넓어진 경지 면적으로 수확량도 늘었다. 제주 밭담 축제도 열린다.

⊙ 제주시 구좌읍 하도리 3354
🌐 http://www.jejubatdam.com

윤스타피자앤파스타　겉바속촉의 화덕피자

별방진 바로 옆에 있는 화덕피자로 개그맨 윤석주 님이 직접 운영한다. 음식 방송 7년의 경험을 살려 고급스러우면서 대중적인 조화를 개발했다. 특히, 루꼴라피자는 제주의 꿀이 가미되어 향과 맛을 동시에 느낄 수 있으며 한입 물면 달콤함이 입안에 퍼진다. 개그맨 윤석주 님이 별방진을 배경으로 인생 사진도 직접 촬영해 주니 맛과 추억까지 하도리를 깊숙이 즐길 수 있다.

⊙ 제주시 구좌읍 문주란로1길 74-20
📞 070.4105.7986

Editor's TIP
밭담을 경계로 경작물의 형태나 시기에 따라 물들어 있는 모습이
제각각이에요. 다채롭게 펼쳐진 밭을 보면 자연스럽게 셔터를 누르게 돼요.

세 개의 분화구가 만드는 보드라운 곡선과 빛

22

·코스 정보·

#용눈이오름 #트레일러닝 #일출런

용눈이오름 2.2km

"가장 높은 언덕에 올라섰다면,
바로 내려오기보다 한쪽에 앉아 바람을 느껴 보세요."

- 🌙 난이도 중
- ◎ 러닝 시간 30분
- ◎ 워킹 시간 50분
- ◉ 주소 제주시 구좌읍 종달리 4650

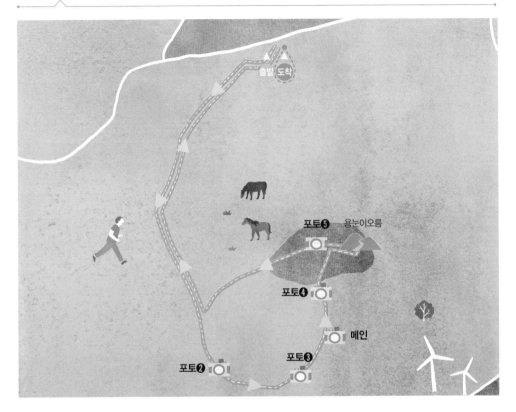

 용눈이오름 주차장 > 용눈이오름 한 바퀴 > 원점 복귀

COURSE TIP

1 가장 높은 곳에 올라 스트레스를 바람에 날려요.

2 폭신한 야자수 매트가 있어서 안전하게 달릴 수 있어요.

3 내리막에서는 팔을 높이 올려 무게 중심을 위로 보내면 신나게 내려올 수 있어요.

CAUTION

1 바람이 시원하지만 오래 있으면 추우니 겉옷을 입어요.

2 방목된 말의 뒤는 위험해요. 말의 앞에서 바라봐 주세요.

3 자연환경 보호를 위해 정해진 코스로만 이동해요.

#용눈이오름은 자연휴식년제로 2023년 1월 31일까지 출입이 제한됩니다.

달리기 여행 런트립, RunTrip 에 푹 빠진 **이병호 님**

이병호 님은 2019년 '아름다운 제주 국제마라톤 대회'를 통해 첫 런트립을 제주에서 보내는 선물을 얻었다. 그전에도 가끔 달렸지만, 그날 이후로 그의 달리기 역사가 새로 시작된 것이다. 함께 달리는 즐거움을 알게 되었고, 해안도로 곳 곳을 여행하며 달리니 길었던 10㎞도 짧게만 느껴졌다. 축제 같은 순간들을 지나치며 나도 모르게 러닝의 매력에 푹 빠지며 이제는 매일 아침, 달리기는 일상이 되었다. 근교부터 먼 곳까지 '런트립'도 즐긴다. 제주 런트립 당시, 멤버들과 노을을 보기 위해 올랐던 곳이 용눈이오름이다. 로드 러닝보다 역동적이고, 트래킹보다 가벼운 트레일러닝 코스. 능선을 따라 남녀노소 누구나 가볍게 오르내리며 즐길 수 있다.

용눈이오름 주차장에서 15분이면 다다르는 정상. 그곳부터 진짜 여행이 시작된다. 왼쪽과 오른쪽, 어느 쪽도 상관없다. 마음 가는 곳으로 달리면 된다. 세 개의 분화구가 있는 오름이라 완만한 오르막과 내리막이 롤러코스터처럼 심장을 두근거리게 한다. 어린아이로 돌아가 나도 모르게 함박웃음을 지을지 모른다. 달리는 각도에 따라 용눈이의 곡선과 빛깔은 천차만별이다. 오름을 달리다 보면 내가 한 마리의 말이 된 듯, 새가 된 듯하다. 오름의 장점은 시원한 바람. 온갖 걱정과 시름을 흘러가는 바람에 날려 버리기 좋다. 가장 높은 언덕에 올라섰다면, 바로 내려오지 말고 한쪽에 앉아 눈을 감고 바람을 느껴 보자. 온전히 나를 만날 수 있는 시간이 된다. 일출 시각을 맞추면 소원 러닝도 가능하지만 새벽 기상에 실패해도 괜찮다. 일몰이 남아 있기 때문이다. 용눈이오름을 달리고 내려오면, 그가 그랬던 것처럼 새로운 달리기 세상이 당신에게도 펼쳐질 것이다.

놀멍   LET'S ENJOY

용눈이오름   용이 눕고 놀았던 곳

용눈이오름은 여러 이름이 있다. 용이 누웠던 자리의 '용와악', 용이 놀았던 자리의 '용유악', 용의 얼굴 '용안악'이다. 또한, 제주 360여 개의 오름 중 유일하게 분화구가 3개라 위에서 내려다보면 화구의 모습이 용의 눈을 닮았다. 세 개의 능선은 엄마의 품처럼 부드럽다. 봄과 여름에는 푸른 용눈이를 볼 수 있고, 가을과 겨울에는 억새로 덮인 금빛 용눈이를 만날수 있다. 넓은 주차장에 편의시설과 화장실도 갖춰져 있어 많은 관광객이 찾는다.

◉ 제주시 구좌읍 종달리 산28

송당오두막   눈과 입이 즐거운 수제 돈가스

튀김의 바삭함과 부드러운 고기는 기본. 갈빗대까지 함께 튀겨 손으로 잡고 먹는 왕갈비돈카츠는 독특한 경험을 선사한다. 생등심 속에 저염 명란을 넣어 만든 명란 돈카츠도 인기 메뉴다. 레몬즙과 소스 등 첨가물을 조금씩만 다르게 해도 완연히 다른 맛을 내니 먹는 내내 재미있다. 특히, 할라페뇨 특제 소스가 돈가스의 맛을 더욱 특별하게 만든다. 예약은 필수다.

◉ 제주시 구좌읍 중산간동로 2231   ☏ 0507.1317.4713

 Editor's TIP
봄과 여름이면 초록빛의 오름을 만날 수 있고,
가을과 겨울이면 황금색의 오름을 만날 수 있어요.

동쪽 끝, 수국이 만개하는 마을

23

· 코스 정보 ·

#수국 #해안도로 #지미봉 #하도해수욕장

종달리   6.6km

"몽글몽글한 수국이 나를 반기는데
쉽게 지나칠 수 없는 아름다움이에요."

🌙 난이도   **하**

◎ 러닝 시간   **50분**

◎ 워킹 시간   **80분**

◎ 주소   **제주시 구좌읍 종달리 565-72**

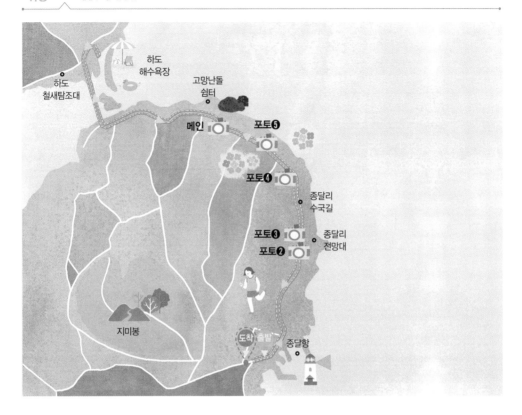

 종달항 > 종달리전망대 > 종달리수국길 > 하도해수욕장 > 원점 복귀

COURSE TIP

<u>1</u> 언제 달려도 좋지만 역시나 수국이 핀 6월부터 7월이 가장 예뻐요.

<u>2</u> 해가 서쪽으로 질 때 동쪽은 핑크로 물들어요. 노을 질 때 달려 보세요.

<u>3</u> 코스가 짧아 아쉽다면 지미봉에 올라요. 경치는 덤이에요!

<u>4</u> 마을 구석구석을 미로처럼 구경하며 달리는 재미도 있어요.

CAUTION

<u>1</u> 수국 길은 차량이 많으니 안전에 주의해요.

<u>2</u> 길이 좁아 단체 러닝보다 혼자 달리기 좋은 코스예요.

러닝과 암벽등반을 즐기는 **최선영 님**

동쪽 끝 마을의 종달리는 '통달함을 마치다'라는 의미가 있다. 통달을 끝마친 마을. 그만큼 여행자는 어느새 여행자의 마음을 넘어서 마을과 동화되는 곳이다. 한 달에 한 번, 제주를 찾을 만큼 제주가 좋은 최선영 님은 가장 제주다운 곳을 뽑으라면 단연 종달리를 꼽는다. 돌담길과 알록달록한 지붕, 우도와 성산일출봉까지 볼 수 있는 코스라 제주가 처음인 친구에게 늘 소개한다. 그녀도 이곳에서 통달함을 마친 것이 아닐까? 종달리는 봄, 여름, 가을, 그리고 겨울 사계절 내내 이름처럼 예쁘다. 봄에는 유채꽃이 피고, 여름에는 수국이 만개하며, 가을에는 오조리 억새밭이 반기고, 겨울에는 무밭에 눈이 소복이 쌓인다.

종달리해변에서 출발해 하도해변에서 돌아오는 코스는 수국 잎을 닮은 아기자기한 코스다. 데크 길이 있는 해안도로라 안전하며 형형색색의 지붕과 논밭 오솔길은 마치 종달새가 지저귈 듯한 동화같은 마을이다. 특히, 하도해수욕장 바로 전의 저수지 사이를 잇는 다리 위를 지날 때면 바다 위를 달리는 기분까지 느껴진다. 건너편의 철새 도래지를 바라보며 여유를 느낄 수 있다. 언제 달려도 좋지만 역시나 수국이 만개했을 때가 가장 예쁘다. 그녀는 러너이자 암벽등반가이다. 서로 다른 모습이지만 모두 자연 안에서 즐긴다는 것과 나 자신과의 싸움을 통해 만들어진다는 공통점이 있다. 종달리를 달리며 잠시나마 나를 둘러보면 우리의 마음에도 통달함에 조금은 가까워질 수 있지 않을까?

놀멍   LET'S ENJOY

종달리 수국 길
아름다운 바다 풍경에 알록달록 수국이 만발한 마을

6월 말에서 8월까지 한철에 피는 꽃. 수국 길이 제주에 그림처럼 펼쳐진다. 하늘색부터 연보라, 분홍, 흰색까지 저마다의 색을 품고 있는데 흙의 산도에 따라 색이 달라진다니 신비로운 꽃이다. 특히, 종달리 전망대에 올라서면 우도와 성산이 한눈에 들어온다. 구불구불한 길과 함께 수국의 색감이 더해져 조화로운 곡선을 만들어 낸다. 드라이브코스로도 인기. 다만, 빠른 속도로 차량이 오가니 도로 한쪽 인도를 이용해 늘 안전에 유의해야 한다.

◉ 제주시 구좌읍 해맞이해안로 2028

구좌지앵   치즈 향 가득 머금은 파스타와 스테이크

감각적인 인테리어로 입구부터 설레는 구좌의 파스타 맛집이다. 휠치즈 크림 파스타가 대표 메뉴로, 네덜란드산 고급 휠치즈에 비벼 먹는 크림 파스타이다. 넉넉한 소스와 치즈 향 덕분에 담백한 고소함이 밀려온다. 또한, 새우 로제 파스타와 송로버섯이 더해져 맛의 풍미가 있는 와일드 머쉬룸 리소토도 인기. 무엇보다 음식에 대한 사장님의 정성과 애정이 느껴지는 곳이라 먹는 내내 대접받는 기분이다.

◉ 제주시 구좌읍 종달로1길 102   ☎ 010.5185.1220

 Editor's TIP 둥글고 예쁘게 피어난 수국길과 달리 바다 쪽으로 향하면 날 선 현무암지대와 불턱 등 원시적 화산섬의 해안지형을 발견할 수 있어요.

넓은 들판 위에 만들어진 제주도민의 삶

RUN THE JEJU

24

· 코스 정보 ·

#평대리해변 #평대리불턱
#해안도로 #구좌당근 #노을

평대   5.7km

"마을 곳곳이
나만 알고 싶은 숨겨진 보물이에요."

🔼 난이도 **하**

◎ 러닝 시간 **40분**

◎ 워킹 시간 **70분**

◎ 주소 **제주시 구좌읍 평대리 1977-2**

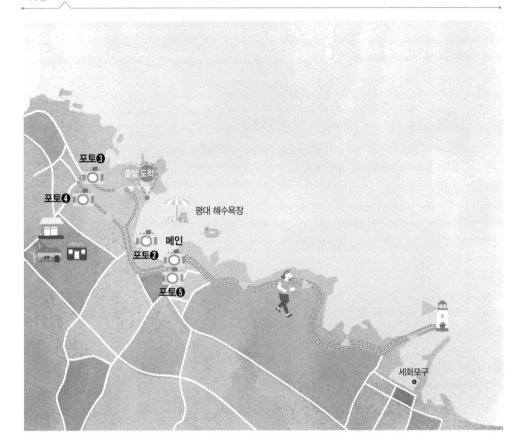

평대해수욕장 세븐일레븐 제주평대해안로점 ＞ 평대포구 ＞ 세화포구 ＞ 원점 복귀

COURSE TIP
1 　 길을 잃을수록 아기자기한 마을을 만날 수 있어요.
2 　 속도를 늦춰 마을 풍경 하나하나를 모두 눈에 담아요.
3 　 마을을 한눈에 내려다볼 수 있는 마을 언덕에 올라가 보아요.

CAUTION
1 　 탁 트인 풍경이지만 그만큼 그늘이 없어요. 선크림과 모자, 선글라스는 필수예요.
2 　 물질을 마친 해녀분들이 힘들지 않도록 자리를 피해 조심히 달려요.

나만의 속도로 나만의 길을 만드는 직업군인 **조소은 님**

조소은 님은 스쿠터 여행, 자전거 여행, 마라톤 여행 등 다양한 방법으로 제주를 느껴 보았다. 모두 최고의 방법이지만, 제주가 가장 가까워지는 순간은 '달리기'였다. 두 발로 제주의 땅을 느끼며 하나하나 눈에 담으면 낯선 풍경과도 어느새 동화된다. 그중 평화로운 분위기가 물씬 풍겼던 평대마을 코스를 소개한다. 대부분의 제주 해변은 많은 관광객으로 인해 온전히 러닝을 즐기기 쉽지 않지만, 평대해변은 유독 조용하고 사람이 적다. 하지만 해변의 아름다움은 손색없다. 해안코스를 달리면 정해진 길을 따라가는 것 같지만 사실 그렇지 않다. 마음에 드는 마을과 샛길로 들어서며 나로 인해 새로운 길이 만들어지는 환상이 펼쳐진다. 도시에서는 느낄 수 없는 자유로움. 특히나 해녀어촌계와 해녀 불턱과 같은 해녀의 삶이 녹아 있다. 국내 최대 당근 생산지이기도 한 평대리. 이곳에서 옛 제주의 생활과 밀접하게 스며들며 달려 보자.

그녀는 직업군인이다. 체력이 필수인 그녀도 오래달리기는 늘 고통스러웠다. 하지만 우연히 러닝크루를 통해 그룹 러닝을 한 후, 처음으로 고통스럽다는 생각이 사라졌다. 주변 풍경과 함께 달리며 크루에, 풍경에, 그리고 달리기에 동화되었다. 그녀처럼 꼭 달려야 한다면, 기록이 아닌 즐거움을 목표로 삼아 보는 건 어떨까? 나만의 속도로 나만의 길을 만들 수 있는 평대리에서 찬찬히 누비다 보면 삶 속에 녹아들 것이다. 그러면 어느새 그녀처럼 웃으며 달리기를 즐기고 있는 나 자신을 발견하게 될지도 모른다.

놀멍 LET'S ENJOY

불턱 제주 해녀가 머무는 공간

평대리의 해안가에는 평평하면서 돌담이 높게 쌓인 공간이 있다. 눈에 잘 띄지 않지만, 유심히 들여다보면 제주를 더욱 깊게 알 수 있다. 해녀들이 '불'을 피우는 나지막한 '턱'이라는 말로 과거 해녀들이 추운 겨울날, 물질을 끝내고 물 밖으로 올라와 불을 이용해 언 몸을 녹이는 장소다. 현재는 마을마다 설치된 현대식 탈의실을 이용하지만, 제주의 역사와 문화가 담긴 곳이라 사라지지 않도록 보존하고 있다. 가운데는 불을 지피던 화로 모양의 구조물도 확인할 수 있다. 해녀들의 삶과 애환이 묻어나는 장소다.

◉ 제주시 구좌읍 해맞이해안로 1240-3

톰톰카레 구좌의 음식재료로 만들어 향이 깊은 카레

고향 집에 온 듯한 포근한 외관의 카레 전문점이다. 대표 메뉴는 구좌 야채 카레로, 제주 산지의 신선한 채소로 만든 일본식 카레다. 순한 맛으로 재료 본연의 식감이 뛰어나다. 콩 카레는 생크림과 토마토가 들어간 인도식 카레로, 콩의 고소한 맛이 식재료와 어우러져 부드럽다. 무엇을 먹을지 고민이라면 채소와 콩이 반반 섞인 반반 카레를 추천한다. 밥 리필도 가능하다.

◉ 제주시 구좌읍 해맞이해안로 1112

 Editor's TIP

주민들은 평대리를 '벵듸' 혹은 '벵디'라고 불러요.
'돌과 잡풀이 우거진 넓은 들판'이라는 제주도 방언이에요.

광치기해변 서귀포시 성산읍
가장 먼저 하루를 맞이하는 방법

하루 두 번만 만나는 녹색 이끼의 장관

25

· 코스 정보 ·

#광치기해변 #성산일출봉 #일출런
#오조포구 #유채꽃

광치기 4.4km

"일출런을 하며 받는 에너지는
하루 전체를 바꾸어 놓아요."

🌙 난이도 하

◎ 러닝 시간 30분

◎ 워킹 시간 60분

◎ 주소 서귀포시 성산읍 고성리 224-33

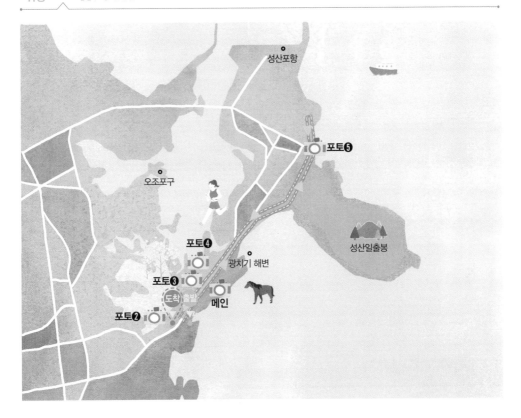

 광치기 해변 ＞ 성산일출봉 주차장 입구 ＞ 성산마을제단 ＞ 원점 복귀

COURSE TIP

1 성산일출봉의 명소답게 일출런에 도전해 보세요.

2 아침 해는 생각보다 밝아요. 선글라스를 준비하면 좋아요.

3 포토 스폿을 꼼꼼히 확인하여 특별한 경험을 모두 간직해요.

4 유채꽃이 만발하는 3월에 방문하면 노란색의 향연을 만날 수 있어요.

CAUTION

1 모래를 달릴 때는 중심을 잡기 어려우니 발 디딤에 유의해요.

2 용암 지대의 녹색 이끼는 매우 미끄러워요. 천천히 걸어요.

3 해변에는 말이 있어요. 말의 뒤보다 앞에서 사랑스럽게 봐 주세요.

첫 달리기의 시작을 응원하는 **김예림 님**

일출이 얼마나 아름다우면 그 이름마저 성산일출봉일까. 떠오르는 해와 함께 새로운 다짐을 시작하기 좋은 러닝 코스를 소개한다. 올레길1코스이기도 한 이곳에서 '1번'이라는 의미만큼 달리기를 처음 시작해 보면 어떨까? 스포츠 심리상담 전문 멘탈 코치인 그녀는 운동선수나 장애인, 다이어트 여성분들의 멘탈 코칭을 진행한다. 교육 프로그램 외에도 스포츠심리학을 전공한 그녀는 성산에서 떠오르는 아침 해와 함께 그동안 발견하지 못했던 나만의 가능성을 발견했으면 한다. 달릴 때면 평소보다 심장도 크게 뛰고, 팔과 다리도 크게 움직이는 경험을 통해 자신감에 찬 자신을 만나고 예뻐할 수 있게 된다는 것이다.

광치기 해변에 해가 떠오르면 러닝은 시작된다. 아직 남아 있는 찬기와 어스름한 어둠은 나의 발걸음을 망설이게 하지만 시작의 기운을 온전히 받을 수 있다. 광치기 해변을 출발해 유채꽃밭을 지나 성산마을제단까지 일직선으로 이어지며 성산일출봉의 세 면을 볼 수 있다. 반환점에서 만나는 성산마을제단에서 소원도 빌어 보자. 제주는 마을마다 신위를 모시는 제단이 있는데, 이곳은 독특하게 용신을 수호신으로 모신다. 다른 마을에 비해 수산업에 의존했기에 바다의 안녕을 지켜 주는 용왕신께 제의를 지낸 것이다. 달리기가 두렵다면 그녀를 따라 걷기부터 시작해 보자. 한 번에 자유로울 수 없지만, 아침 해의 따뜻함에 물들 듯 자연스럽게 물들게 될 것이다.

오조포구 나만 알고 싶은 조용하고 한적한 마을

올레길2코스를 걷다 보면 만나는 오조포구는 아기자기하면서 자연의 모습이 그대로 남아 있는 한적하고 조용한 마을이다. 물이 맑아 포구 안에 담긴 물에 하늘도 비치고 노을도 비친다. 특히, 오조리 마을과 연결된 나무다리가 있는데 이 다리를 건너면 물에 비친 하늘 덕분에 구름 위를 걷는 느낌이다. 도보가 잘 정비되어 있어 이색 러닝 코스가 된다. 갖춰 놓은 화려함보다 때론 자연 그대로의 자연 경관이 가장 완벽한 법이다.

◉ 서귀포시 성산읍 오조로 80번길 47　▨ 064.712.8899

랜딩커피 바다 뷰를 바라보며 마시는 커피 한 잔

2층 규모의 바다 뷰 카페로, 제주 바다를 디저트 삼아 커피를 마셔보자. 2층의 통 유리창 앞은 포토존이라 바다를 배경으로 인생 사진을 남길 수 있다. 해의 위치와 노을의 색깔의 따라 통창으로 비치는 자연은 매 순간 달라지니 매일 새롭다. 안전상의 이유로 노키즈존을 운영한다12개월 미만, 초등학생 이상은 가능.

◉ 서귀포시 성산읍 신앙로122번길 45-1　▨ 0507.1387.0998

Editor's TIP

간조 때의 광치기 해변은 검은 모래와 함께 현무암으로 이루어진 해안지형까지 함께 볼 수 있어요. 바다타임에서 성산포 인근 물때표를 확인하고 방문하면 좋아요.
https://www.badatime.com/

RUN THE JEJU

26

· 코스 정보 ·

#해안도로 #유채꽃 #방두포등대
#유민미술관 #글라스하우스

섭지코지   2.6km

"위는 하늘, 오른쪽은 푸른 바다, 왼쪽은 보라 꽃 향기
눈을 어디에 두며 달려야 할지 모르겠어요."

- 🏔 난이도   **하**
- ◎ 러닝 시간   **20분**
- ◎ 워킹 시간   **40분**
- ◎ 주소   **서귀포시 성산읍 고성리 62-3**

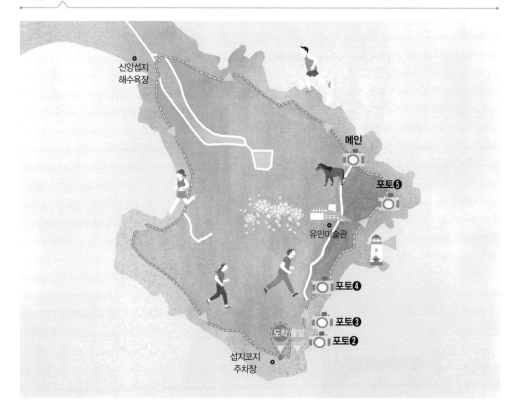

신앙섭지
해수욕장

메인

포토❺

유민미술관

포토❹

포토❸

도착 출발

포토❷

섭지코지
주차장

 섭지코지 주차장 ＞ 방두포 등대 ＞ 해안산책로 ＞ 순환 후 원점 복귀

COURSE TIP

__1__ 관광객이 많은 시간보다 한가로운 시간에 달리면 배로 즐길 수 있어요.

__2__ 성산일출봉을 바라보며 달려요. 달리는 내내 벅차오를 거예요.

__3__ 이어폰은 잠시 내려놓고, 파도 소리를 들어요.

__4__ 두 번 순환하면, 보이지 않던 것들이 눈에 들어와 더욱 풍성해져요.

CAUTION

__1__ 곳곳에 말똥이 있을 수 있어요. 발 디딤에 유의해요.

__2__ 풀숲에는 보이지 않는 돌이 있으니 발목을 조심해요.

__3__ 코너 길에는 보행자가 보이지 않아요. 깜짝 놀라지 않도록 배려해요.

__4__ 천천히 산책하는 관광객이 많으니 빠른 속도보다 여유를 즐겨요.

대학생 러닝크루 대외 활동을 통해 만난 **정지윤, 변지은, 최승민, 김형우 님**

무지개처럼 저마다의 색을 빛내며 섭지코지를 달리는 네 명의 러너는 나이와 학교도 다르지만, 대학생 러닝크루 대외 활동에서 만나 친구가 되었다. 함께 달리며 누군가를 진심으로 걱정하고 생각하는 방법을 배우기도 하는데 "괜찮아?"라고 물으며, 친구의 발걸음에 나의 속도를 맞추는 것이다. 답답할 때면 술자리를 갖기보다는 함께 달린다. 그 시간에 달리고 얻는 성취감으로 다시 공부에 집중할 수도 있다. 보통은 현실의 어려운 탓만 하지만 러너 친구들은 긍정적인 이야기를 더 많이 나누고 그로 인해 선순환을 일으킨다. 앞으로의 공부나 사회생활에서도 해야 하는 이유와 해낼 수 있는 이유를 명확하게 만든다.

이들처럼 고유의 아름다움을 존중하며 서로를 빛나게 하는 이곳은 많은 이들이 사랑하는 섭지코지다. '코지'는 코의 끝 모양처럼 비죽 튀어나온 지형이라는 제주 방언이다. 높은 지형 덕에 고개를 돌리기만 해도 수평선이 보인다. 우뚝선 흰 등대는 계단으로 이어져 누구나 쉽게 오를 수 있는데 등대 위, 가장 높은 곳에 올라 드넓게 펼쳐진 해안 절경을 만끽해 보자. 가볍게 흐른 땀방울 위로 바람이 살랑 지나가면서 기분 좋은 상쾌함이 느껴진다. 포토 스폿이 많아 쉬면서 달리기에 좋다. 보통의 러닝은 앞만 보고 달리지만, 이곳은 사방에 시선을 두고 달릴 수 있다. 제주도를 언제, 어떻게 갈지 고민이라면 당장 티케팅 먼저 하자. 마음만 먹으면 언제든 갈 수 있는 지상 낙원이다.

놀멍 LET'S ENJOY

타쿠마 호텔 출신 셰프가 만드는 숙성 스시 전문점

제주 고등어를 데리야키 소스에 졸인 덮밥 요리 '제주고등어시바동'과 주 제철 생선이 올라간 일본식 회덮밥 '제주한그릇'이 시그니처 메뉴다. '제주고등어동'은 고등어 뼈가 제거되어 밥과 함께 먹기 편하며 곁들여진 소스는 상큼함에 감칠맛을 돋운다. '제주한그릇'의 제철 생선은 매번 다르지만 일 년 중 가장 신선한 식재료가 들어가 재료 본연의 맛이 깊다.

◉ 서귀포시 성산읍 섭지코지로 15 ☎ 064.783.4894

유민 미술관 국내 최초 아르누보 공연예술품 전문 미술관

궁금증을 유발하는 건축물이 눈에 띈다. 미술관 입구외 '샤이닝 글라스' 조형물은 보는 각도에 따라 반짝임이 달라져 눈길을 사로잡는다. 세계적인 건축가 안도 다다오가 설계한 유민미술관은 20여 년간 유럽 전역에서 인기를 끌었던 아르누보의 유리공예 작품을 전시하고 있다. 야외 정원을 비롯한 4개의 전시실이 있고 1일 4회 정규 도슨트를 운영한다. 섭지코지의 파도와 바람, 빛과 소리를 느낄 수 있다.

◉ 서귀포시 성산읍 섭지코지로 107 ☎ 064.731.7791
🏠 이용 시간 매일 9시~18시, 매주 화요일 휴관
⑤ 입장료 12,000원 🔗 http://www.yuminart.org

Editor's TIP

3월이면 봄을 알리듯 유채꽃밭으로 옷을 갈아입어요.
특히나 푸른 바다와 어울려 그 어느 곳보다 선명하니
놓칠 수 없는 명소예요.

해가 떠오르는 거대한 왕궁 '城山日出峰'

"산과 바다가 공존해
마치 작은 한라산을 달리는 것 같아요."

#유네스코세계자연유산 #일출 #오름
#수성화산체 #오소포연대

성산일출봉 1.3㎞

- 🏔 난이도 중
- ⏱ 러닝 시간 40분
- ⏱ 워킹 시간 60분
- 📍 주소 서귀포시 성산읍 일출로 284-12

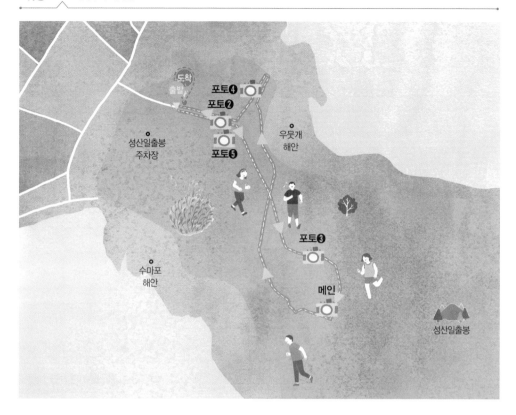

 성산일출봉 입구 ＞ 성산일출봉 ＞ 성산어촌계 해녀의집 ＞ 원점 복귀

COURSE TIP

1 일출봉답게 근처에 숙소를 두고 아침 달리기를 하며 일출을 맞이해요.

2 세계 7대 자연 경관 선정 기념 인증 조형물 앞에서 기념사진을 찍어요.

3 걷더라도 포기하지 않고 끝까지 올라요. 정상의 어마어마한 뷰가 당신을 맞이할 거예요.

4 뒤돌지 않고 올랐다가 정상에 섰을 때, 뒤를 돌아보세요. 벅찬 감정이 배가돼요.

CAUTION

1 등산길과 하산길이 나뉘어 있어 안전을 위해 반드시 하산길을 지켜요.

2 거센 바람에 모자가 날아갈 수 있으니 주의해요.

3 계단이 많고 가팔라요. 무리하지 말고 천천히 올라가요.

두 다리와 두 바퀴로 기부 문화를 확산하고 싶은 백만 프로젝트
김건탁, 임영훈, 윤보나, 조민정 님

성산일출봉을 달리는 네 명의 러너는 자전거로 250㎞ 제주도 해안도로를 달리는 기부 프로젝트를 통해 만났다. '백만 프로젝트'는 자전거를 타고 루게릭병을 알리며 승일희망재단의 루게릭요양병원 건립을 목표로 2015년부터 시작되었다. 프로젝트를 통해 함께 다리를 굴리며 서로 의지하다 보니 어느새 다양한 활동도 이어 가는 둘도 없는 운동 메이트가 되었다. 250㎞의 자전거 코스 중 가장 아름다웠던 곳을 이제는 두 다리로 달린다. 자전거를 탈 때보다 발밑에 있는 작은 풀꽃까지 눈에 들어오니 작은 추억 하나하나 더 소중하게 느껴진다.

성산일출봉은 수중 폭발을 통해 만들어진 화산체로 정상에서 분화구를 만날 수 있는 유네스코 세계자연유산이다. 정상에 이르는 계단은 가파르지만 20분이면 오른다. 산과 바다가 한눈에 들어와 오를 때는 푸른 나무 덕에 상쾌하고 내려올 때는 바다로 청량하다. 성산일출봉을 내려왔다면 해안 절벽을 따라 해녀의 집까지 달리자. 일출봉 옆으로 켜켜이 쌓인 지층도 빠질 수 없는 러닝 포인트다. 마그마가 쌓이고 쌓여 만들어진 자연의 예술 작품으로 그 안에 오랜 세월의 역사와 이야기가 쌓였다. 기부도 마찬가지다. 기부금만 쌓이는 것은 아니다. 건강과 함께한 사진, 둘도 없는 친구, 그리고 추억도 쌓인다. 2021년 7월 착공을 시작해 2022년 하반기에는 드디어 국내 최초 루게릭요양센터가 오픈할 예정이라니, 가슴 뛰는 도전에 동참해 보는 건 어떨까?

놀멍   LET'S ENJOY

오소포연대 횃불과 연기로 소식을 전하는 옛 통신 수단

올레길1코스와 연결되어 있어 자연스럽게 만나는 이곳은 옛 군사적 통신 수단이다. 횃불과 연기를 통해 정치와 군사적으로 급한 소식을 전했다. 봉수대와 비슷한 기능이 있지만 봉수대는 산 정상에 설치했다면 연대는 구릉이나 해변 지역에 설치했다. 돌로 단단하게 쌓아 올린 모습이 수년간 이곳의 주민들을 지켜 온 흔적을 보여 준다. 잠시 쉬면서 옛 통신 문화유산을 체험하고 사랑하는 이에게 안부를 물어도 좋다.

◉ 서귀포시 성산읍 오조리 392번지

맛나식당 밥도둑 따로 없는 갈치조림과 고등어조림

고추의 알싸한 매운맛과 달짝지근한 맛이 중독성 있는 갈치조림 전문점이다. 근처 성산포에서 잡은 신선한 갈치와 고등어만 사용해 살이 통통하면서 부드럽다. 국물이 잘 배어 있는 무 조림과 함께 비벼 먹으면 밥도둑이 따로 없다. 아침과 점심 장사만 하며, 재료 소진 시에는 조기 마감된다. 이른 아침에도 번호표를 받을 정도로 인기가 많으니 서둘러 방문하는 것이 좋다.

◉ 서귀포시 성산읍 동류암로 41   ☎ 064.782.4771

Editor's TIP 내리막 코스는 가파르고 계단이 많아요.
내려다보이는 성산읍 일대와 바다 풍경을
보면서 천천히 발걸음을 옮겨 보아요.

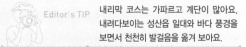

성산일출봉 응회구 수중 폭발로 만들어진 수성화산체

유네스코 세계자연유산에 등재된 성산일출봉은 약 5천 년 전 얕은 바다에서 일어난 수성화산 활동으로 형성된 응회구이다. 지하에서 올라온 뜨거운 마그마와 물이 만나 격렬하게 반응하면서 분출된 화산재가 쌓여 일출봉이 형성되었다. 원래는 제주 본섬과 떨어져 있는 화산섬이었지만 주변으로 모래와 자갈이 쌓이면서 길이 생겼고, 1940년 도로 공사를 통해 육지가 되었다.

성산일출봉 절벽에서는 금방이라도 흘러내릴 듯한 가파른 경사의 퇴적층들을 볼 수 있다. 일반적으로 급한 사면은 흙이나 돌이 아래로 흘러내려 무너져 버리는데, 성산일출봉의 경우, 화산폭발 당시 화산재가 물기를 머금은 상태였기 때문에 퇴적층이 흘러내리지 않고 급한 경사를 이루면서 쌓일 수 있었다. 이러한 이유로 성산일출봉은 수성화산 분출 당시 화산체의 모습을 그대로 잘 간직하면서 화산재가 겹겹이 쌓인 퇴적 구조를 선명하게 보여 준다.

◉ 서귀포시 성산읍 일출로 284-12 ☎ 064.783.0959
🏛 이용 시간 매일 7시 30분~19시, 매주 월요일 휴무 ⓢ 입장료 5,000원

RUN THE JEJU

28

· 코스 정보 ·

#우도 #검멀레해변 #비양도 #우도8경

우도   13km

- 🏔 난이도   중
- ◎ 러닝 시간   90분
- ◎ 워킹 시간   160분
- 📍 주소   제주시 우도면 연평리 1737-15

"신발에 모래가 묻으면 어때요?
그보다 더 멋진 비경이 숨겨져 있는걸요."

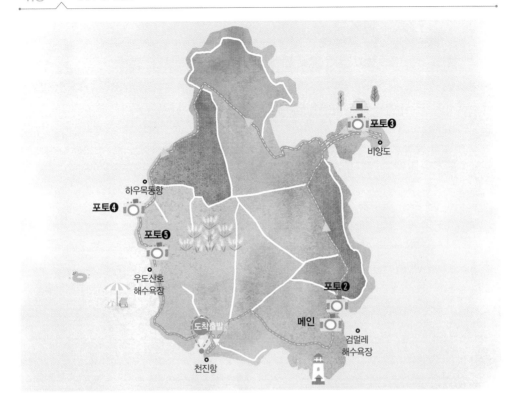

 천진항 > 검멀레해수욕장 > 비양도 > 우도산호 해수욕장 > 원점 복귀

COURSE TIP

1 섬 한 바퀴를 둘러 십이 간지 석상이 있어요. 12개의 석상을 찾는 재미가 있어요.

2 하고수동 바다에서 우도를 상징하는 해녀상과 추억 사진을 남겨요.

3 해안선의 길이는 총 17㎞라 장거리 달리기도 가능해요.

4 캠핑을 좋아한다면, 비양도에서 캠핑을 즐겨요.

CAUTION

1 섬답게 해풍이 많이 부니 겉옷을 챙겨요.

2 우도는 길이 좁아요. 양보하고 배려하며 천천히 달려요.

3 해산물은 해녀들의 삶이에요. 무단으로 해산물과 어패류를 채취하지 않아요.

4 단체 그룹보다는 두세 명 이내의 소규모 러닝을 추천해요.

꾸준한 노력과 훈련을 즐기는 **김재영 님**

소가 누워 있는 모습과 같다 하여 이름 붙여진 우도는 섬 전체가 올레길1-1코스이다. 성산항에서 배로 15분이면 도착하는 가까운 섬으로 마치 제주도의 축소판 같다. 작은 제주도답게 돌담과 이국적인 풍경, 섬을 둘러싼 바다가 반긴다. 청진항에서 시작된 러닝은 시계 반대 방향으로 한 바퀴를 달리며 다시 천진항으로 돌아온다. 출발하자마자 만나는 첫 번째 포인트인 검멀레해변은 모래가 온통 검은색을 띠고 있어 탄성을 자아낸다. 썰물 때는 절벽 가까이 걸어가 고래가 살았다는 동굴을 만날 수 있다. 달리다 보면 '비양도'라 불리는 섬 속의 섬도 만난다. 해가 뜰 때, 수평선에서 날아오르는 것 같다 해서 붙여진 이름으로 가장 먼저 해를 만날 수 있는 곳이다.

우도를 달리기 위해서는 충분한 훈련을 해 두면 좋다. 외발 서기나, 한 발 스쿼트 같은 발목 밸런스 훈련을 추천한다. 김재영 님은 원래 축구를 했지만, 우연히 시작한 달리기에 재미를 느끼고 러닝 동호회를 찾아 본격적인 훈련을 시작했다. 그의 10㎞ 러닝 기록은 34분, 42.195㎞는 2시간 48분으로 굉장히 빠르지만, 처음부터 잘 달렸던 것은 아니다. 달리기를 처음 시작했던 그날부터 꾸준한 노력과 훈련을 통해 얻은 결과다. 매일 10㎞ 이상 조깅과 일주일에 한 번 스피드 훈련을 한다. 보강 운동과 밸런스 상체 훈련도 놓치지 않는다. 어제의 나를 뛰어넘는 달리기 훈련을 해 보는 것도 달리기의 즐거움이다. 훈련한 만큼 결과가 나오는 솔직하고 바른 운동. 남이 아닌, 어제의 나와 비교하며 나도 모르게 자존감도 올라간다. 그렇게 더 나아진 체력으로 여유롭게 달리기를 즐긴다면 하늘 위를 나는 것 같은 즐거움에 빠질 것이다. 버킷리스트에 '우도 달리기 한 바퀴'를 담아 놓고 어제의 나와 경쟁해 보는 것은 어떨까.

놀멍 LET'S ENJOY

검멀레해수욕장 김은 모래 해변과 고래가 사는 동굴

우도봉 아래에는 검은 모래가 특징인 '검멀레'해수욕장이 있다. 작은 해변이지만 알차다. 모래찜질을 즐기기에 최적의 조건은 물론, 우도 8경 중 하나인 '동안경굴'을 만날 수 있다. 썰물이면 직접 두 발로 고래 동굴에 들어갈 수도 있고, 보트를 타고 돌아볼 수도 있다. 보트 투어를 하면서 만나는 '주간명월' 역시 풍요롭다. '한낮에 굴속에서 보는 달'이라는 뜻으로 어두운 굴 안에서 보는 빛이 달처럼 느껴진다.

◉ 제주시 우도면 우도해안길 1132

지미스 우도 땅콩이 들어간 단판의 조화

우도에서 꼭 맛봐야 하는 것이 우도 땅콩 아이스크림이다. 땅콩 가루도 모자라 우도에서 직접 재배한 땅콩이 껍질째로 듬뿍 들어가 있어 씹을수록 고소하다. 우도는 남쪽의 따뜻한 기온과 강한 햇빛, 그리고 물이 잘 빠지는 이곳의 토양과 해풍으로 인해 땅콩 같은 뿌리 작물이 자라기에 좋은 환경이다. 맛도 맛이지만, 검멀레해변을 바라보며 달콤한 아이스크림을 먹으면 행복이 몰려온다.

◉ 제주시 우도면 우도해안길 1132 ☎ 010.9868.8633

 Editor's TIP

성산항에서 배를 타고 15 분이면 우도에 도착해요. 승선시, 신분증은 필수이며 렌터카는 환경보호를 위해 숙박 예약자나 임산부, 노약자, 장애인 등만 승선이 가능하니 반드시 사전에 확인 후 이용해 주세요.

녹산로 서귀포시 표선면
유채와 벚이 만나는 봄의 절정

같은 곳을 달려도 매일 다른 풍경을 안겨 주는

"전 세계 트레일러너의

가슴이 뛰는 곳"

RUN THE JEJU
29
· 코스 정보 ·

#조랑말체험공원 #따라비오름 #녹산로
#유채꽃 #트레일러닝

가시리　　　10km

- 난이도　상
- 러닝 시간　90분
- 워킹 시간　120분
- 주소　서귀포시 표선면 녹산로 381-17

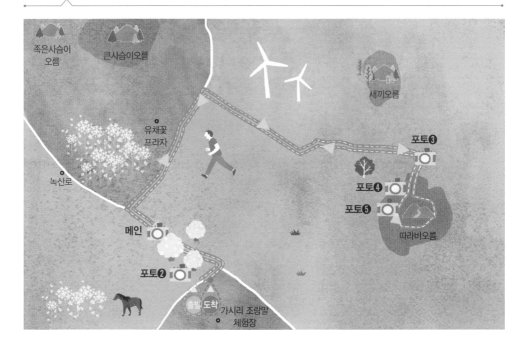

조랑말 체험공원 ▶ 녹산로 ▶ 유채꽃프라자 입구 ▶ 원점 복귀

COURSE TIP

<u>1</u> 언제 달려도 좋지만, 해 질 녘에 달리면 저녁노을을 볼 수 있어요.

<u>2</u> 봄에는 유채꽃과 벚꽃, 가을에는 억새가 만발해 매일 다른 매력이 있어요.

<u>3</u> 정상에서 여유롭게 코스를 만끽할 수 있도록 물과 간식을 준비해요.

CAUTION

<u>1</u> 반드시 트레일러닝화를 신어요. 로드와 다르게 돌, 나무뿌리 등 위험한 요소가 많아요.

<u>2</u> 세계 자연 유산, 제주를 보호하기 위해 달리기 중 쓰레기를 버리지 않아요.

<u>3</u> 산에서는 어떠한 일이 발생할지 몰라요. 혼자 달리기보다 함께 달려요.

<u>4</u> 부득이하게 혼자 달린다면, 주변에 꼭 알려요.

한국인 최초! 사막 마라톤 그랜드 슬램을 달성한 **안병식 디렉터님**

세계 최대 울트라 트레일러닝 대회와 각종 사막 마라톤 대회에서 '한국인 최초'와 '우승'의 수식어를 가진 안병식 디렉터님. 그의 전공은 사실 미술이다. 감각 있는 예술적 시선이 자연스럽게 제주의 오름을 향하면서 새로운 시각으로 제주를 그리기 시작했다. 그 결과, 그는 세계적인 트레일러너 선수이자 트레일러닝 대회를 만드는 레이스 디렉터로 활동한다. 그리고 많은 러너들이 그의 예술적 시선에 매료된다. 그는 로드 러닝으로 시작했지만, 지금은 트레일러닝을 더 즐긴다. 복잡한 차량과 탁한 공기 대신 자연 속에서 만나는 시원한 공기와 바람 소리, 새소리가 곁들어진 달리기는 그에게 큰 행복을 준다. 매일 같은 곳을 달려도 자연이 주는 풍경은 날마다 다르다. 햇빛, 안개, 온도, 비, 심지어 눈까지 다른 모습은 다른 삶을 살게 하고 나의 존재를 증명해 낸다. 그는 우리에게 마음껏 제주를 달리고 즐기라며 손짓한다.

가시리 마을은 1794년부터 1899년까지 조선 시대 최고의 말을 기르던 목장, '갑마장'이었다. 지금도 여전히 말들을 기르고 관리하며 많은 관광객이 찾는다. 그는 그의 고향인 가시리 마을에 '갑마장길' 코스를 만들었다. 이 코스는 10㎞ 남짓으로 목장길부터 편백 숲길, 돌담길, 오름 등 다양한 매력이 있어 트레일러너의 가슴을 뛰게 한다. 가장 큰 매력은 녹산로 유채꽃 길을 달릴 수 있다는 것이다. 무릎 높이엔 샛노란 유채꽃이 즐비하고 머리 위로는 분홍의 벚꽃이 휘날린다. 눈으로 보고 있지만, 눈으로 믿을 수 없는 환상. '한국의 아름다운 길 100선'에 꼽힐 정도로 제주에서 가장 아름다운 유채꽃 길이기도 하다. 그가 직접 설계한 트레일러닝 코스를 달려 보자.

놀멍 LET'S ENJOY

조랑말 체험공원 제주의 말을 쉽고 재미있게 체험하자

조선 시대부터 최고의 말을 길렀던 '갑마장'에 조성된 체험공원은 말 박물관과 승마 체험장, 식당, 마음 카페 등을 운영한다. 승마 체험은 근거리부터 13㎞의 외승 승마까지 능력에 맞게 다양한 즐거움을 느낄 수 있다. 마음 카페는 '말의 소리'라는 뜻으로 말똥 과자와 말굽 쿠키는 아이들의 호기심을 자극한다. 넓은 초지가 360도 파노라마처럼 펼쳐져 있어 눈이 시원하다. 가시리 마을에서 직접 운영하는 숙박 시설 '유채꽃프라자'에서 다양한 체험과 쉼도 가능하다.

◉ 서귀포시 표선면 녹산로 381-15 ☎ 064.787.0960

나목도식당 가시리 현지인이 인정한 맛집

양념 된 돼지고기에 아삭한 파와 콩나물을 더하면 제주식 두루치기가 완성된다. 기본 찬으로 나오는 된장국과 숙댓국이 별미다. 무가 들어간 된장국은 깔끔하고 시원한 맛을 내며, 모자반과 순대가 들어간 순댓국은 멜젓과 함께 먹으면 제주의 향을 느낄 수 있다. 2층에는 무인 카페가 운영된다.

◉ 서귀포시 표선면 가시로 613번길 60 ☎ 064.787.1202

Editor's TIP 봄이 오면 가시리 일대에는 노랑색, 분홍색 꽃의
향연이 열려요. 녹산로를 따라 피어 있는 유채꽃과
벚꽃을 만끽하며 달려 보세요.

제주국제트레일러닝대회

매년 4월 초, 제주의 봄을 달리는 대회로 녹산로 유채꽃을 마음껏 누릴 수 있다. 가시리 마을에서 만든 코스 중 하나인 '갑마장 길'이 포함되어 있어 마을 전체의 축제다. 특히, 100㎞ 코스는 스테이지 레이스Stage Race로 일정 구간을 여러 날에 나누어 달린다. 그렇기에 한라산과 성산일출봉, 제주민속촌 등 오름과 바다를 여유롭게 즐길 수 있는 대한민국 최고의 트레일러닝 대회이다. 경기 종목은 5㎞부터 100㎞까지 다양해 개인의 능력과 목표에 따라 누구나 참가할 수 있다.

🗓 기간 매년 4월 첫 주 🏃 종목 5㎞, 10㎞, 36㎞, 70㎞, 100㎞ 🔗 http://www.jejutrail.com/

Trans Jeju 트레일러닝대회

매년 10월 중순, 제주의 가을을 달리는 대회로 울트라 트레일 월드 투어UTWT에도 선정되어 전 세계인이 인정하는 대한민국 최고의 트레일러닝 대회이다. 대한민국에서 가장 높은 산인 한라산과 세계자연유산을 달릴 수 있는 것만으로도 이미 전 세계 30개국의 외국인들에게 인기 있는 코스다. 원데이 레이스One Day Race로 이루어져 있어 한라산의 거칠고 웅장한 모습을 가까이서 느낄 수 있다. 특히나 화산섬을 달리는 것은 굉장한 행운이다.

🗓 기간 매년 10월 둘째 주 🏃 종목 10㎞, 50㎞, 100㎞ 🔗 http://www.transjeju.com/

출처 : Trans Jeju 트레일러닝대회

RUN THE JEJU
30
· 코스 정보 ·

#백약이오름 #동검은이오름
#거미오름 #트레일러닝

백약이오름 5.8㎞

- 난이도 **상**
- 러닝 시간 **60분**
- 워킹 시간 **90분**
- 주소 **서귀포시 표선면 성읍리 1893**

"트랙처럼 생긴 오름 성상부의 둘레길은
오르락내리락 달리면서 리듬감을 더해 줘요."

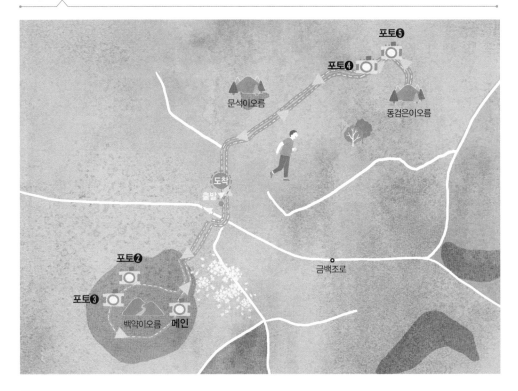

 백약이오름 입구 ＞ 백약이오름 ＞ 동검은이오름 ＞ 원점 복귀

COURSE TIP

1 빨리 오르기보다는 천천히 오르며 주변 환경을 눈에 담아요.

2 코스가 너무 짧아 아쉽다면 백약이오름의 둘레를 한 바퀴를 더 달려도 좋아요.

3 해가 뜨기 전에 올라 백약이오름 정상에서 만나는 해의 감동을 느껴 보세요.

4 동검은이오름이 험하다면 백약이오름만 달려도 충분해요.

CAUTION

1 백약이오름과 동검은이오름 사이에는 도로가 있으니 주의해 길을 건너요.

2 작은 돌이 많아 미끄러울 수 있으니 발 디딤에 주의해요.

3 풀과 잔디, 가시가 많아요. 너무 우거진 곳은 들어가지 않고 지정된 탐방로를 이용해요.

4 화산송이가 곳곳에 깔려 있어 흙이 묻어도 괜찮은 신발을 착용해요.

#백약이오름의 정상부는 자연휴식년제로 2022년 7월 31일까지 출입이 제한됩니다.

아직 발견하지 못한 제주의 아름다움을 찾는 **이규호 님**

고운 잔디와 소나무가 뒤덮은 백약이는 예로부터 백 가지가 넘는 약초가 자생하고 있다 하여 '백약이오름'이라 불렸다. 넓은 오름 사이로 난 한 줄기 계단 길을 오르면 금세 정상에 오른다. 오름에 올라서면 트랙처럼 생긴 둘레길이 평평하면서도 귀엽게 오르락내리락해 달리기의 흥을 더한다. 바다와 한라산, 그리고 오름 모두 한눈에 훤히 보이니 자연과 하나 되어 살아 숨 쉬는 기분이다. 부드러운 잔디가 바람에 날릴 때면 오름 전체가 비단과 같이 찰랑거리며 달리는 이의 마음마저 찰랑거리게 만든다. 백약이 오름에 올라 떠오르는 둥근 해를 바라보면 그날의 하루는 성공적이다. 해를 보지 못했더라도 괜찮다. 동검은이오름이 기다리고 있다. 가는 길목은 고요한 시골길이라 풍광을 누비며 달릴 수 있다. 높은 경사도지만 조금만 참고 오르면 거대한 풍경이 당신에게 안긴다.

백약이와 동검은이오름을 달리는 이규호 님은 서울을 떠나 제주로 이주했다. 제주 거주 6년 차이지만 답답한 서울보다 자연과 도시의 조화로운 삶을 원했고, 훗날 만나게 될 자식도 자연과 함께하길 바라는 마음이다. 백약이오름 역시 자연을 찾아 무심코 올라왔지만, 상상 이상으로 아름다웠던 코스다. 자연을 좋아하는 그답게 그는 트레일러닝을 좋아한다. 자신에게 적합한 종목이 있듯 그에게는 트레일러닝이 딱이었다. 로드에서는 빠르지 않지만, 산에서는 누구보다 빨랐고, 저 멀리 내리막길까지 내려다보는 좋은 눈을 가졌다. 어느새 제주 거주 7년 차이지만 아직 가보지 못한 제주가 너무 많다. 앞으로도 이 책과 함께 발견하지 못한 숨은 제주의 비경과 아름다움을 찾아 모두 달려 보고 싶다고 말한다.

놀멍 | LET'S ENJOY

호자 튀김옷이 바삭한 흑돼지 돈카츠와 즉석 샌드위치

일본식 돈카츠로 등심과 안심, 고소한 모차렐라 치즈까지 먹을 수 있는 모듬이 인기 메뉴다. 모든 고기는 제주도산 흑돼지를 사용하여 부드러우며 겉은 바삭하고 속은 촉촉한 튀김옷이 예술이다. 기본 고기의 맛이 좋아 소스가 아닌 소금만 찍어 먹어도 침샘을 자극한다. 정갈한 플레이팅까지 예쁜 곳. 재료 소진 시, 조기 마감하기에 방문 전에 미리 문의하는 것이 좋다.

◉ 제주시 구좌읍 세화8길 7 1층 ▌064.784.0412

금백조로 낭만적인 은빛 드라이브 코스

구좌읍부터 성산읍까지의 약 10㎞ 중산간 도로로 백약이오름 앞을 지나는 드라이브 코스다. 탁 트인 넓은 공간에 길게 뻗은 도로는 달리고 싶을 만큼 시원하다. 가을엔 억새로 인해 이곳의 매력이 빛을 발하는데 숨겨 두었던 비밀의 도로처럼 예상치 못한 풍경에 놀라움을 금치 못한다. 대자연과 풍차, 그리고 빛나는 은빛 억새 풍경은 서부의 어느 도시 같기도 하고, 지구에는 존재 않는 나라 같기도 하다. 특히, 해 질 녘이면 변화하는 하늘의 색을 온전히 바라보며 드라이브를 즐길 수 있어 낭만적이다.

◉ 제주시 구좌읍 송당리 산166-2

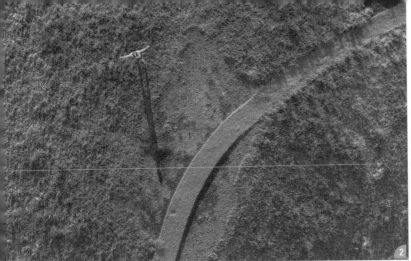

Editor's TIP

오름의 정상에 올랐다면 바로 앞만 보고 달려 나가기보다는
잠시 멈춰서 뒤를 돌아보고 그 풍경을 감상해요.

도로와 산책로가 함께한 이색 명품 도로

31

· 코스 정보 ·

#소금막해수욕장 #표선해수욕장
#표선생활체육관 #성읍민속마을

번영로   19㎞

"푹신한 산책로는 무릎이 약한 러너
누구나 안전하게 달릴 수 있어요."

- 난이도   상
- 러닝 시간   120분
- 워킹 시간   290분
- 주소   서귀포시 표선면 표선리 44-4

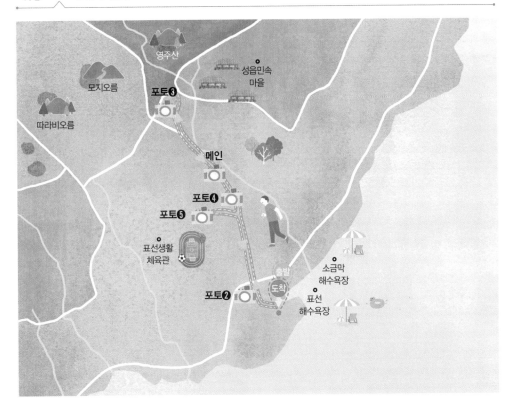

 표선해수욕장 > 번영로 > 성읍민속마을 > 표선생활체육관 > 원점 복귀

COURSE TIP

1. 표선생활체육관의 트랙에서 러닝 훈련을 할 수 있어요.
2. 코스가 너무 길다면 표선생활체육관까지만 달려도 충분해요.
3. 제주에서 가장 넓은 백사장, 표선해변의 캠핑장에서 캠핑을 즐겨 보세요.

CAUTION

1. 현무암으로 만들어진 길에 발이 걸리지 않도록 집중해요.
2. 빨리 달리기보다는 천천히 조깅하듯 달리는 것이 안전해요.
3. 번영로에서는 산책하는 마을 주민이 많으니 속도를 줄여요.

여행지를 달리는 매력을 알리고 싶은 **신은철 님**

무더운 여름이면 제주도민이 찾는 러닝 코스가 있다. 낮이면 표선해수욕장에서 에메랄드빛 바다를 감상할 수 있고, 밤이면 파도 소리를 듣고 시원한 바람을 맞으며 달릴 수 있는 번영로다. 제주시와 표선을 이어 주는 번영로는 숲과 숲 사이에 곧게 뻗은 도로로 표선해수욕장부터 성산민속마을까지 산책로를 이어 준다. 6차선 도로 중앙의 2차선을 자전거 도로와 산책로로 조성한 특별한 길이라 계절마다 새로운 꽃을 피우고 나무들이 우거져 포근한 숲길을 달리는 기분이다. 시작은 백사장이 아름답기로 소문난 표선해수욕장인데 넓고 맑은 물이 마치 에메랄드빛의 원형 호수처럼 보이기도 한다. 그리고 500년 역사를 간직해 특유의 고요함과 정이 있는 성읍민속마을에서 반환해 돌아오면 한여름의 달리기는 마무리된다. 우레탄 길은 푹신해 초보 러너도 안전하게 달릴 수 있으며 가로등과 야간 조명이 있어 밤에도 안전하다.

제주도민 신은철 님은 여름이면 표선에서 달리기를 즐긴다. 시원한 바다와 함께 바람이 불 때면 바다 향이 온몸으로 느껴져 무더운 여름날의 더위를 식힐 수 있다. 그는 다이어트 목적으로 달리기를 시작했지만, 지금은 달리기의 매력에 흠뻑 빠졌다. 많은 사람이 여전히 달리기는 힘들고 지루하다고 생각하지만, 그는 달리기야말로 정말 매력적인 취미 활동이라는 것을 누구보다 알리고 싶다. 여행지에서 무슨 달리기냐고 생각하지만, 아침 30분만 투자해 숙소 주변의 경치를 둘러본다면 차에서 스치는 풍경과는 사뭇 다르게 멋진 경치와 바람이 당신에게 강렬히 다가올 것이라 말한다. 그를 따라 표선의 번영로를 달려 보자.

놀멍 LET'S ENJOY

소금막해변 투명하게 빛나는 한적한 해변

소금막해변은 올레길3코스와 맞닿아 있는 곳으로 유난히 흰 백사장과 에메랄드빛 바다가 조화를 이루는 곳이다. 다른 해변에 비해 사람이 많지 않아 여유롭게 바다를 만끽하며 즐길 수 있다. 게다가 서퍼들로 인해 구경하는 재미까지 더한다. 해수욕장이 아니기에 수도 시설이 부족하긴 하지만 한적하고 맑은 물에서 물놀이를 즐기고 싶다면 더없이 좋은 곳이다.

◉ 서귀포시 표선면 하천리 94-2

표선수산마트 포장과 식사 가능한 도매 횟집

도매와 식당을 겸한 수산 마트로 싱싱한 활어회를 저렴한 가격에 먹을 수 있다. 제주 곳곳에 고등어와 돔을 납품할 정도로 규모가 크며 관광객뿐 아니라 제주도민도 많이 찾는다. 2층 식당에서 차림비를 내고 먹을 수 있고 포장도 가능하다. 매일 신선한 횟감만 판매하고 있어 종류와 가격이 달라지지만, 제주에서만 먹을 수 있는 제주산 고등어회를 추천한다.

◉ 귀포시 표선면 표선중앙로110번길 3-4 📞 064.787.2380

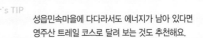

Editor's TIP

성읍민속마을에 다다라서도 에너지가 남아 있다면
영주산 트레일 코스로 달려 보는 것도 추천해요.

꽃밭을 달리는 경험

RUN THE JEJU

32

· 코스 정보 ·

"보롬왓을 달리기 시작하면
꽃향기에 나도 모르게 기분이 좋아져요."

#보롬왓 #꽃밭 #수국길 #밀밭숲

보롬왓   4.6km

- 난이도   하
- 러닝 시간   30분
- 워킹 시간   60분
- 주소   서귀포시 표선면 번영로 2350-104

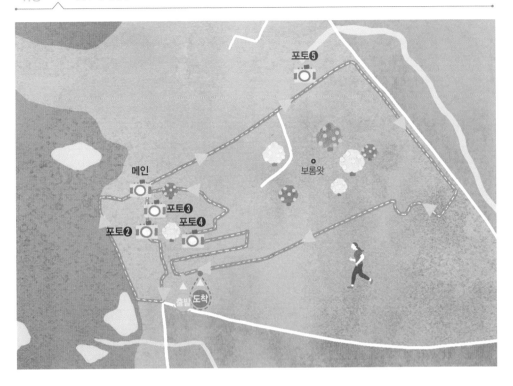

 보롬왓 ≫ 사이프러스CC 입구 ≫ 남영 교차로 ≫ 충혼묘지 ≫ 원점 복귀

COURSE TIP

1 여유롭게 시간을 두고 꽃구경과 달리기를 충분히 즐겨요.
2 6월이면 닫혀 있던 보롬왓 수국 길도 활짝 열려요.
3 철마다 다양한 색과 향의 꽃들이 있어 사계절 내내 좋아요.
4 보롬왓 내부는 작은 식물원이에요. 함께 구경하면 좋아요.

CAUTION

1 보행로가 좁은 구간이 있어요. 여럿이 달린다면 한 줄로 달려요.
2 꽃밭답게 흙이나 돌이 많은 구간도 있어요. 발 디딤에 유의해요.
3 꽃을 밟거나 훼손해선 안 돼요. 꽃밭은 걸어서 구경하며 지정된 보행로를 이용해요.

달리기를 통해 제주를 온몸으로 느끼는 **이주현 님**

보롬왓을 달리는 이주현 님은 제주에서 셀프 스튜디오를 운영한다. 제주에서 나고 자란 건 아니지만 곳곳이 예쁜 명소로 가득해 애정이 많다. 그 매력 덕분에 마음이 맞는 친구와 함께 제주로 내려와 스튜디오를 운영하는지도 모른다. 사진 속에는 제주의 매력과 분위기를 담는다. 제주 여행객들에게 제주만의 감성과 추억을 더 오래 간직할 수 있도록 하기 위함이다. 그렇다면 향이 오래 머무는 꽃밭은 어떨까? 꽃밭을 달리는 경험은 잊지 못할 추억은 물론, 입고 있는 옷에도 꽃 향이 깊게 물들게 할 것이다. 보롬왓 러닝 코스를 소개한다.

봄과 가을에는 메밀꽃이 만개하고 여름에는 라벤더가 흩날리는 아름다운 곳이다. 여름이면 수국 길도 활짝 문을 여는데, 울창한 숲 사이로 난 수국 길은 차가 오가지 않은 산책로라 여유롭게 수국 향기를 만끽할 수 있다. 보롬왓을 출발하면 번영로를 따라 길게 쭉 뻗은 시원한 길을 달린다. 길가 양옆으로 핀 꽃 역시 무성해 꽃 향을 맡으며 달리기에 좋다. 다시 돌아오는 길은 한적한 시골길을 달리는 기분이다. 고요함에 마음마저 차분해진다. 눈길이 닿는 곳 모두가 포토 스폿이다. 누구나 보롬왓을 달리기 시작하면 꽃향기에 나도 모르게 기분이 좋아질 것이다. 제주도의 아름다운 명소들을 바라보는 것도 좋지만, 명소들을 점이 아닌 선으로 이어 보자. 걷고 달리며 선으로 잇다 보면 더 많은 이야기로 가득 찰 여행이다. 제주를 온몸으로 느껴 보자.

보롬왓 　바람이 살랑이는 꽃밭의 향연

바람을 뜻하는 제주 방언 '보롬'과 밭의 '왓'이 합쳐진 이름 보롬왓은 말 그대로 살랑이는 제주 바람이 부는 밭이다. 보롬왓은 서귀포의 떠오르는 인생샷 명소로 메밀꽃과 라벤더, 맨드라미까지 다양한 꽃을 구경할 수 있다. 토끼와 양의 먹이 주기 체험도 가능하고 꽃밭을 누비는 깡통 열차도 있어 아이들에게 인기 만점이다. 또한, 운영하는 카페보롬왓 카페에서는 보롬왓 라떼를 판매하는데 고소한 맛이 일품이다.

⊚ 서귀포시 표선면 번영로 2350-104 　☏ 064.742.8181
ⓢ 입장료 성인 4,000원 어린이 2,000원

폼포코식당 　나베가 유명한 선술집 심야식낭

고급스러운 분위기를 풍기는 선술집으로 분식 베이스의 다양한 요리를 맛볼 수 있다. 매콤하고 달콤한 떡볶이 위에 갖가지 튀김과 소고기, 흑돼지구이까지 올라간 모찌동이 유명하며, 딱새우와 우삼겹, 숙주가 올라간 딱새우 나베도 인기다. 깔끔하고 맑은 국물의 요리로 푸짐한 음식 재료는 더욱 먹음직스럽다. 저녁 5시 30분부터 영업을 시작하니 술안주와 함께 제주의 밤을 보내기 좋은 곳이다.

⊚ 서귀포시 성산읍 동류암로 20 체인지동 1층 　☏ 0507.1413.3025

Editor's TIP

좋아하는 꽃이 있다면 그 계절에 방문하는 것도 방법이겠죠?
3월튤립, 유채 4월보라유채, 보리, 삼색버드나무 5월메밀 6월보리, 라벤더
7월수국 8월메밀 9월맨드라미, 메밀 10월맨드라미, 메밀, 핑크뮬리
11월맨드라미, 메밀

바다목장 위에 펼쳐진 바당길

#신천바다목장 #표선해수욕장
#제주민속촌 #올레길3코스

신천   13.4km

"겨울이면 주황빛의 귤피를 말리는 모습,
여름이면 목장 위의 바다 풍경을 만날 수 있어요."

- 난이도   중
- 러닝 시간   110분
- 워킹 시간   200분
- 주소   서귀포시 표선면 표선리 40-77

 제주민속촌 주차장 > 당케포구 > 소금막해수욕장 > 신천목장 > 신풍포구 > 원점 복귀

COURSE TIP

1 러닝 전과 후로 제주민속촌을 방문해 관람하면 런트립의 시작이에요.

2 날이 덥다면 소금막해변과 표선해수욕장에서 발을 담가 보세요.

3 12월이면 귤피를 말리는 모습으로 황금빛의 장관을 만날 수 있어요.

4 신천목장 옆 신풍목장에서 바다를 곁에 두고 승마 체험을 할 수 있어요.

CAUTION

1 길이 좁은 구간도 있어요. 여럿이 달릴 때는 한 줄로 달려요.

2 벤치가 없어요. 잔디에 앉을 때는 벌레가 있을 수 있으니 유의해요.

3 말리는 귤피는 손으로 만지거나 밟아 훼손하지 않아요.

4 해풍이 좋은 곳이라 바람이 많이 불어 추울 수 있어요. 겉옷을 소지해요.

171

발걸음을 맞춰 호흡을 느끼는 부부 러너 **이순진, 김희윤 님**

바닷속으로 빨려 들어가는 듯 시원하고 볼거리 가득한 러닝 코스가 있다. 제주민속촌과 표선해수욕장 사이에서 출발한 러닝은 소금막해변을 지나 바당 올레길을 따라 신천목장까지 이어진다. 제주민속촌은 1890년대의 제주 민속자료와 옛 문화, 역사, 100여 채의 전통가옥 등을 전시해 예스러운 제주의 모습을 만날 수 있는 곳이다. 달리기 전과 후로 방문하면 제주의 모든 면을 두루 살필 수 있다. 바닷가를 따라 펼쳐진 길은 올레길3코스에 속해 깔끔하게 조성되어 누구나 쉽고 재미있게 달릴 수 있다. 흰 흙길과 잔디, 현무암 길 등 다양해 장거리 러닝에도 지루하지 않다. 신천목장에 도착했다면 잠시 여유를 즐겨도 좋다. 겨울이면 주황빛의 귤피 말리는 모습을, 여름이면 푸른 목장 위에서 탁 트인 바다 풍경을 만날 수 있다.

신천을 달리는 이순진 님과 김희윤 님은 부부 러너다. 제주 여행 중 숙소 사장님 추천으로 신천 목장을 알게 되었는데 제주의 멋이 충분히 느껴지는 곳이라 잊지 못할 러닝 코스가 되었다. 이들은 부부로 러너로 함께 달리기를 즐긴다. 같은 취미를 공유하면 일상생활뿐 아니라 여행지에서도 같은 취미를 즐길 수 있다. 말하지 않아도 상대방이 힘든지, 더 빨리 달리고 싶은지 부부이기에 더 잘 보이기도 한다. 그렇게 서로를 배려하며 페이스를 맞춰 달리면 부부의 진한 호흡을 다시 한 번 느낀다. 어디든 손을 잡고 달려 보자. 예쁜 그들의 모습처럼 서로를 더욱 존중하고 배려하는 방법을 배울지도 모른다.

놀멍   LET'S ENJOY

아줄레주   포르투갈이 떠오르는 에그타르트

직접 만든 반죽으로 구워 낸 포르투갈식 에그타르트가 유명한 디저트 맛집. 외관마저 포르투갈 문양인 '아줄레주'를 사용하여 시원한 느낌이 물씬 풍긴다. 국내산 계절 과일만을 사용하고 기타 감미료는 첨가하지 않은 과일청 음료도 침샘을 돋운다. 돌아서는 순간, 후회할 수도 있기에 최소 1 음료, 2 에그타르트는 필수로 먹어 주자.

◉ 서귀포시 성산읍 신풍리 627   ☎ 0507.1411.4052

신천목장   해풍에 귤피를 말리는 금빛 풍경

제주의 감귤은 버릴 게 없다. 알은 비타민이 가득하고, 껍질은 말려 차로 마시거나 화장품 원료로 사용되며 말리는 풍경마저 관광지가 된다. 겨울철이면 이색 명소로 떠오르는 신천 바다목장은 '하목장'이라고 불리는 임시 목장이었다. 그 넓은 대지 위에 연 5만 톤의 주황색의 귤피를 곱게 깔아 놓아 해풍에 말리는데 풍경이 겨울에 피는 꽃밭 같다. 귤피가 마르는 냄새가 나긴 하지만, 목장과 어우러진 바다 풍광으로 충분히 용서된다.

◉ 서귀포시 성산읍 신천리 5

Editor's TIP
백사장과 사구 위는 노면이 푹푹 꺼지고 미끄러워요.
로드 러닝화보다 트레일 러닝화를 신고 달리는 것을 추천해요.

3-1

3-2

5

4

물영아리 서귀포시 남원읍
잣성을 두른 영묘함

"계단을 오를 때면 요동치는 심장이지만
습지에 이르면 어느새 눈 녹듯 사라져요."

RUN THE JEJU

34

· 코스 정보 ·

#람사르습지 #물영아리오름
#트레일러닝 #중잣성

물영아리오름 3.4㎞

- 난이도 중
- 러닝 시간 60분
- 워킹 시간 120분
- 주소 서귀포시 남원읍 수망리 182-1

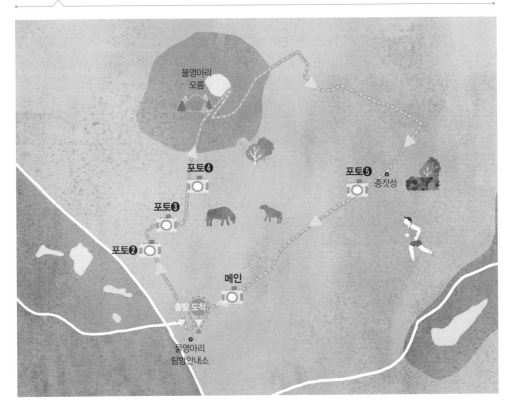

 물영아리오름 입구 ▷ 물영아리오름 습지정상 ▷ 중잣성 ▷ 원점 복귀

COURSE TIP

1 정상까지 곧장 오르는 계단이 힘들다면 완만한 반대 방향으로 달려요.

2 힘들어도 전망대까지 올라요. 멋진 풍경이 펼쳐질 거예요.

3 눈 쌓인 겨울엔 등산화를 신고 천천히 걷는 것도 또 다른 즐거움이에요.

4 비 오는 날은 몽환적이에요. 나무가 비를 막아 주니 속상해 말고 도전해 보세요.

CAUTION

1 비 오는 날의 몽환적인 물영아리를 즐길 때면 미끄러움에 유의해요.

2 제주의 밤은 빨리 어두워져요. 일몰 러닝 시, 헤드 랜턴을 챙겨요.

3 습지 지역이라 뱀이 출몰할 수 있어요.

4 지정된 탐방로 외의 출입은 금지예요.

두 다리로 건강한 정신을 기르는 **현진환 님**

현진환 님은 2019년까지 경주마 육성목장에서 경주마 훈련을 담당하는 일을 했었다. 그의 업무는 새벽부터 시작되었는데, 체력을 기르기 위해 자연스럽게 달리기를 시작했다. 넓은 목초지가 펼쳐진 그의 일터 '목장'은 자연스럽게 최고의 러닝 코스다. 그렇게 자유로운 풍경에 매료되어 달리기에 더욱 빠졌다. 퇴근 후, 달리기까지 끝마친 샤워가 더욱 개운할 정도로 뿌듯하다. 고된 일을 하며 지쳐 있는 심신을 달래는 그만의 방법이다. 그는 두 다리와 달리기로 건강한 정신을 기르고 있다. 주말에는 목장 근처의 다른 곳까지 달리러 가기도 하는데 그렇게 발견한 러닝 코스가 '물영아리오름'이다.

물영아리오름은 지루할 틈이 없다. 드넓은 초원부터 습지, 잣성길, 삼나무길 등 곳곳이 포토 스폿이다. 러닝 코스는 광활한 초원에서 유유히 노니는 소 떼를 지나 하늘 높이 솟은 삼나무로 향한다. 경사가 가파른 계단 길과 경사가 완만한 능선 길 두 갈래가 있어 개인의 체력에 맞게 선택하면 된다. 힘들게 올라간 만큼 정상에서 보는 습지는 신비롭다. 다시 능선을 따라 내려오면 평탄하지도 가파르지 않아 오르락내리락 흥이 난다. 몸 구석구석 신선한 공기가 가득 차는 기분. 여름에는 나무가 우거져 자연의 그늘 아래 시원한 바람을 맞으며 달릴 수 있다. 한 오름에서 다양한 제주의 모습을 살피고 싶다면 물영아리를 오르자. 달리기가 아니더라도 한 번쯤 방문해야 하는 국제적 중요 습지다.

물영아리 습지와 중잣성 제주도에서 첫 번째로 지정된 람사르습지

화산 분화구가 막히면 물이 고여 호수가 된다. 물영아리오름이 그중 하나로 물이 고인 '신령스런 산'을 뜻한다. 생태적 우수성과 각종 동식물의 보존 가치를 인정받아 람사르습지로 지정되었다. 물영아리오름을 탐방하면 중잣성 생태 탐방로와 연결된다. '잣성'은 제주 전통의 목축 문화 유물로 중산간 목초지에 쌓아 올린 경계용 돌담이다. 하잣성과 중잣성, 그리고 상잣성으로 나뉜다. 하잣성은 말의 농경지 농작물 피해를 막기 위해, 상잣성은 말의 한라산 삼림 지역 피해를 막기 위해 만들어졌다. 하잣성과 상잣성 사이의 중잣성은 목장의 경계 기능을 한다. 특히, 수망리 잣성은 현존하는 제주도 잣성 중 가장 잘 보존되어 있다.

◉ 서귀포시 남원읍 수망리 산 188 ☎ 064.783.7092

성미가든 코스로 즐기는 닭 샤부샤부와 닭백숙

토종닭 백숙 전문점이지만 백숙 전에 나오는 샤부샤부가 유명하다. 각종 채소와 함께 푹 고아진 육수에 얇은 닭 가슴살을 넣어 바로 건져 먹는 맛이 일품이다. 함께 나오는 특제 소스가 감칠맛을 더한다. 이어 닭백숙이 나오는데 토종닭을 사용해 쫄깃하다. 마지막으로 담백하고 고소한 녹두죽까지 먹으면 배가 따뜻해지면서 든든한 한 끼가 완성된다. 특히, 곁들여 먹는 갓김치가 맛있다.

◉ 제주시 조천읍 교래1길 2 ☎ 064.783.7092

2

Editor's TIP
'물의 수호신'이 산다는 말이 전해져 내려올 정도로 신비로운 습지오름이에요. '수령산' 또는 '수령악'으로 불리기도 합니다.

4

3

5

"우리가 상상하던 제주,
진짜 제주를 만날 수 있어요."

RUN THE JEJU

35

· 코스 정보 ·

#삼나무길 #한라산둘레길 #힐링
#트레일러닝 #피톤치드

이승악오름 8km

▨ 난이도 중

◎ 러닝 시간 70분

◎ 워킹 시간 100분

◎ 주소 서귀포시 남원읍 서성로 308

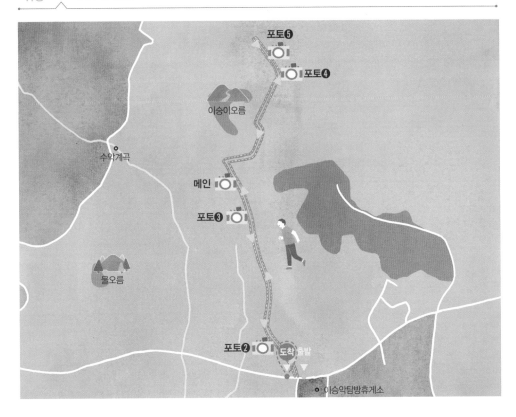

 이승악탐방휴게소 > 이승악오름 입구 > 삼나무숲 > 원점 복귀

COURSE TIP

1 분홍색의 한라산 둘레길 안내 띠를 따라 달리면 길을 찾기 쉬워요.

2 한라산을 배경으로 여유를 만끽하는 소와 사진을 남겨요.

3 짧은 코스도 가능해요. 이승악오름 주차장 서귀포시 남원읍 신례리 2,4

CAUTION

1 빨간 열매 식물, '천남성'은 독초예요. 절대 만지거나 꺾지 않아요.

2 중산간 지역이라 바람이 많이 불어요. 바람막이를 입어요.

3 젖은 돌이 있을 수 있어요. 단단하고 미끄러지지 않는 신발이 좋아요.

4 이승악탐방휴게소 바로 앞의 도로를 건널 때는 보행에 주의해요.

달리며 낯선 도시와 친해지는 **김세일 님**

중남미 배낭여행을 떠났던 김세일 님은 새로운 도시에 도착했을 때 가장 먼저 하는 일이 있다. 바로 달리기. 낯선 도시를 걷거나 달리면서 그 도시와 서로를 알아 가는 시간을 보낸다. 여행 일정 안에 달리기를 넣으면 세 가지가 달라진다. 먼저, 지도를 보고 러닝 코스를 정하면서 여행지에 관해 공부할 수 있다. 둘째, 골목 구석을 다니며 여행책에는 없는 진짜 현지의 모습을 만날 수 있다. 마지막으로 현지인이 된 것 같은 기분을 만끽할 수 있다. 그 후로 그는 국내든 해외든 여행지에 가면 러닝으로 하루의 시작을 연다.

이승악오름 역시 진짜 제주를 만나기 위해 러닝화 한 켤레 집어 들고 시작한 러닝 코스다. 이승악 탐방 휴게소에서 출발하면 길게 뻗은 길과 함께 여유롭게 풀을 먹고 있는 소의 무리를 만나는데, 마치 배경화면 같은 그림에 그동안의 스트레스가 날아간다. 날씨가 좋으면 저 멀리 한라산도 보인다. 이승악오름 입구까지 2.4㎞의 아스팔트 길이 끝나면 본격적인 숲길 달리기다. 제주에는 삼나무가 유명한 곳이 몇 군데 있지만, 이곳에서도 삼나무를 만날 수 있다. 가장 인적이 드문 곳이라 여유롭게 사진을 찍거나 산책하기 좋다. 약 1㎞를 갈림길이 나올 때마다 오른쪽으로 달리면 그곳이 삼나무 숲의 시작이다. 양옆으로 가지런히 정렬된 높은 나무 사이를 달리면 마치 영화 속 풍경 안에 들어선 기분이다. 먼 길을 달려온 보람과 함께 달리며 피부로 느껴지는 나무 사이의 빛과 발아래의 바스락거리는 화산 송이가 느껴질 만큼 자연과 동화된다. 이렇게 낯선 도시와 마음을 열며 서로를 알아 가면 그 도시를 더욱 사랑하게 된다. 달리기를 여행 일정에 넣어 보자. 나의 여행이 더욱 풍성해질 것이다.

놀멍 LET'S ENJOY

이승악오름 삼나무가 맞이하는 고요한 곳

살쾡이를 닮아 '이승이오름'으로 불리기도 하는 이승악은 여러 갈림길이 나오는데 모두 순환 코스라 어디를 향해도 좋다. 단, 삼나무 길만 둘러보고 싶다면 갈림길이 나올 때마다 오른쪽 산책로를 택하라. 삼나무 길에 들어서면 오랜 세월을 증명하듯 키 큰 삼나무들이 서 있는데 순간 다른 세상에 온 듯 착각이 든다. 초록색의 이끼 덕분에 사계절 내내 싱그럽고 상쾌해 흐린 날이나 안개 낀 날도 좋다. '해그무이소'라 불리는 숨은 명소도 있다. 나무가 울창해 해가 보이지 않고, 절벽마저 병풍처럼 둘러싸고 있어 대낮에도 해를 볼 수 없다는 뜻으로 바위가 융단처럼 넓고 평탄해 신비로움을 자아낸다.

◉ 서귀포시 남원읍 신례리 2-4

범일분식 수제 순대가 들어간 진한 순대국밥

큼직하고 오동통한 찹쌀순대가 들어간 순댓국밥집. 일반 뽀얀 국물이 아닌 빨간 육수의 얼큰한 맛이 특징이다. 마치 추어탕을 먹는 것처럼 곱게 빻은 들깻가루와 산초가루가 어우러져 더욱 진한 맛을 낸다. 특히, 함께 싸서 먹는 깻잎무침은 감칠맛을 낸다. 도민에게도 사랑받는 제주 서귀포시 남원의 맛집이다.

◉ 서귀포시 남원읍 태위로 658

☎ 0507.1405.5069

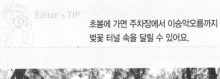

Editor's TIP

초봄에 가면 주차장에서 이승악오름까지
벚꽃 터널 속을 달릴 수 있어요.

절벽 위에 조성된 신비로운 숲 터널

RUN THE JEJU
36
· 코스 정보 ·

#큰엉해안경승지 #한반도지형
#남태해안로 #LSD

큰엉   18km

"풍경에 매료되어 달리니
어느새 10㎞ 이상을 달리고 있었어요."

- 난이도 중
- 러닝 시간 120분
- 워킹 시간 240분
- 주소 서귀포시 남원읍 남원리 2379-7

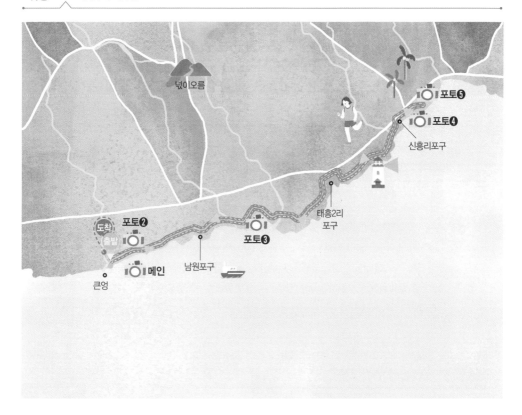

 큰엉 주차장 ＞ 큰엉해안경승지 ＞ 남태해안로 ＞ 신흥리포구 ＞ 원점 복귀

COURSE TIP

1 해안경승지 한반도 지형에서 기념사진을 찍어요.
2 장거리 달리기는 처음부터 빠른 속도보다 천천히, 꾸준히 달리는 게 좋아요.

CAUTION

1 해안경승지는 숲이 우거져 어두운 구간도 있어요. 밤에는 달리지 않아요.
2 코너에서는 주행하는 차량이 보이지 않으니 반드시 지정 보행로를 달려요.
3 장거리 달리기 시에는 에너지를 보충할 수 있는 에너지 젤을 지참하면 좋아요.
4 해안가는 날씨의 영향을 많이 받아요. 비가 내리지 않더라도 풍량과 같은 날씨 정보를 꼭 확인해요.

자연과 공존하는 삶을 갖게 된 **안기현 님**

어느새 5년, 안기현 님은 제주 출신 어머니를 따라 온 가족이 제주로 이주했다. 가족 중 가장 늦게 내려올 정도로 서울 생활을 떠나기 싫었지만, 지금은 '너무 늦게 내려왔구나.'라는 사실을 깨달았다. 그야말로 자연과 공존하는 삶이다. 어쩌다 한 번 보는 하늘이 아니라 늘 곁에 두는 노을이 되었고, 주입식 교육 같아 친해질 수 없던 환경이 이제는 누가 시키지 않아도 사랑하는 자연이 되었다. 오히려 터닝 포인트인 셈이다. 그렇게 다양한 운동을 즐기던 그녀는 제주에서 달리기 시작했다. 그녀가 생각하는 달리기의 매력은 내면의 여유다. 그룹으로 함께하는 다른 운동은 내면의 소리에 귀를 기울일 시간이 많지 않은데, 달리기는 함께함에도 불구하고 마음이 편안해지면서 나에게 집중할 수 있는 시간이 만들어진다.

나만의 시간을 가질 수 있도록 무아지경에 빠져 달릴 수 있는 그녀의 러닝 코스는 큰엉이다. 큰엉은 올레길5코스와 4코스가 이어져 있는데 대부분 평지라 초보자도 부담 없이 달릴 수 있으며 길을 찾는 데에 어려움이 없다. 많이 알려지지 않아 사람도 적고 한적하다. 게다가 빼어난 경치를 가진 해안 경승지가 있어 넓게 펼쳐진 바다를 보며 달리면 답답했던 머릿속도 뻥 뚫리고, 간간이 보이는 야자수와 꽃들을 바라보면 제주 감성을 100% 누릴 수 있다. 긴 코스이지만, 달리다 보면 풍경에 매료되어 어느새 계속 달리고 싶어질 것이다. 안기현 님은 누구나 부러워하는 제주에서 러닝을 즐긴다. 하지만 그녀 또한 서울의 한강과 남산을 달리고 싶을 때가 있다. '익숙함에 속아 소중함을 잃지 말자.'라는 말처럼, 제주 외에 각자 살고 있는 집 주변에도 분명 매력적인 러닝 코스가 있다고 그녀는 전한다. 64명의 러너가 나만의 러닝 코스를 만든 것처럼 집 근처를 활용하여 나만의 코스를 만들어 보자.

놀명 LET'S ENJOY

소노캄제주 여름에 피는 노란색의 황화 코스모스

겨울에는 신천목장에 귤피 말리는 금빛 풍경이 펼쳐진다면 여름에는 소노캄제주에 금빛이 핀다. 소노캄제주의 야외 정원으로 나가면 바다를 배경으로 한 황화 코스모스 밭이 우리를 반기는데 돌담으로 가로막힌 꽃밭이 아니라 꽃밭 사이에 놓인 야자수 나무 덕분에 이국적인 풍경을 더한다. 금빛 풍경의 입장료가 무료라니 황화 코스모스의 절정인 7~8월을 놓치지 말자. 단, 꽃밭 사이로 길을 내어 다니기보다는 만들어진 길로만 다니자. 이외에 나무 사이로 하트 모양 하늘을 볼 수 있는 스팟도 있으니 구석구석 놓치지 말고 누벼 보자.

◉ 서귀포시 표선면 일주동로 6347-17

서연의 집 영화 〈건축학개론〉 촬영지

2층 규모 카페의 곳곳에는 영화를 떠올릴 만한 추억이 가득하다. 건축학 개론 박물관이라 해도 믿을 정도로 각종 자료와 전시로 꾸며져 있다. 특히, 2층에서는 영화에서 보았던 액자 같은 바다 전망을 그대로 볼 수 있어 마치 영화 속 주인공이 된 듯하다. 서연의 연못도 그대로 존재한다. 커피의 맛과 향도 좋아 주인공을 그리워하는 영화 팬과 관광객이 여전히 많이 찾는다.

◉ 서귀포시 남원읍 위미해안로 86　☎ 064.764.7894

Editor's TIP 해안절벽을 따라 2㎞의 산책길이 조성되어 있는 '큰엉해안경승지'도 방문해 보세요. 우거진 나뭇가지가 만들어 낸 한반도 지형 모양의 포토스팟을 만날 수 있어요.

서귀포 서귀포시

파도가 내는 색다른 소리를 따라 중문색달

파도가 부서지는 소리를 따라 내려다보이는 중문색달은 이국적이고 색다르다. 태평양의 끝에 닿아 사계절 내내 높고 낮은 파도가 밀려온다. 그 덕에 현무암 절벽 아래로 사구와 모래사장이 드넓게 펼쳐져 있다. 오늘도 서퍼들은 그을린 몸을 이끌고 녹아 버린 소다맛 아이스크림 바다를 향해 유영하듯 나아간다. | 중문 p.224

서귀포시 법환동 **범섬**
칠십리를 지키는 큰 호랑이

여전히 깨끗하고 물 맑은 마을

RUN THE JEJU
37
·코스 정보·

#월평포구 #강정포구 #강정천
#서건도 #써근섬 #올레길7코스

강정   7.5km

"진짜 제주를 느끼고 싶다면 두 발로 뛰어요.
정말 멋진 곳은 네 바퀴로 갈 수 없어요."

📍 난이도   중
◎ 러닝 시간   60분
◎ 워킹 시간   110분
◎ 주소   서귀포시 대천동 665-9

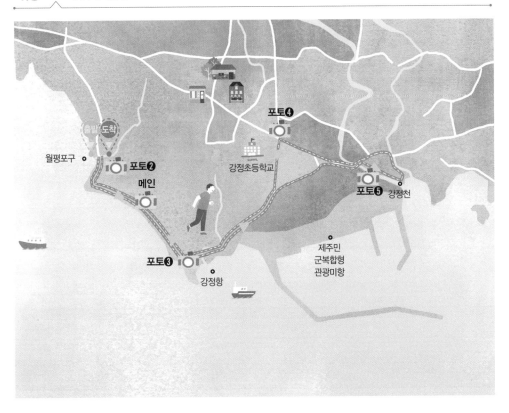

 월평포구 ≫ 강정포구 ≫ 강정천 ≫ 약근교 ≫ 원점 복귀

COURSE TIP

1   시원한 강정천 용천수에서 발을 담가 더위를 식혀요.

2   옛말에 거북이가 나오면 용왕이라 여겨 물질을 끝냈어요. 거북이를 찾아보세요.

3   켄싱턴리조트 뒤에는 바닷가 우체국이 있어요. 소중한 사람에게 편지를 써 보세요.

CAUTION

1   강정천 아래로 내려가는 길은 가파르고 미끄러워요. 발 디딤에 주의해요.

2   켄싱턴리조트 산책로에는 가족단위의 보행자가 있으니 속도를 줄여요.

3   여전히 해군기지와의 투쟁 흔적이 있어요. 마을 주민의 이야기에 경청해 주세요.

매일 변하는 제주의 추억을 간직하고 싶은 제주도민 **류형곤 님**

어려서부터 강정마을에 살았던 류형곤 님은 학교에 가기 위해 매일 왕복 4km를 달릴 정도로 그에게 마을 곳곳은 유일한 놀이터이자 어린 시절의 추억이다. 아무리 아름다운 해외 여행지와 비교해도 단연 일 순위인 그의 집 앞 러닝 코스를 소개한다. 월평포구는 작은 낚싯배 4~5척이 들어갈 작은 포구지만 그만큼 따뜻하고 포근하게 안겨 준다. 월평포구에서 시작한 러닝은 강정포구를 지나 강정천까지 이어진다. 이 해안 산책로는 제주의 남쪽 바다가 광활하게 펼쳐져 있어 묵은 스트레스를 날리기에 좋다. 강정천으로 들어서기 위해 켄싱턴리조트 서귀포점의 산책로를 이용해야 하는데, 올레길7코스라 길을 찾는 데 어려움이 없다. 인적이 드문 오솔길을 달리면 오른쪽으로 강정천의 맑은 모습이 드러난다. 강정천의 아래까지 내려갈 수 있어 구석구석 탐험하는 재미가 있다. 서울에서 직장 생활을 하다가 오랜만에 고향에 오면 느낀다. 익숙했던 제주의 풍경이 하나둘 바뀌고 사라진다. 강정마을 역시 해군기지가 들어서면서 많은 것이 바뀌었다. 그럴 때면 아쉽고 그립지만 그렇다고 변화가 싫거나 두려운 것은 아니다. 그만큼 알지 못했던 새로운 장소와 길이 생기며 새롭게 뛰어야 할 이유가 생기기 때문이다. 그리고 무엇보다 추억이 깃든 장소가 사라지기 전의 모습을 간직하기 위해 두 눈과 두 다리로 더욱 많이 담아 두고 싶다. 매일 같은 러닝 코스가 지겨운가? 사실 같은 코스지만 매일 다르다. 날씨도, 달리는 시간도, 스치는 주변의 사람과 계절의 흐름도 매번 새롭다. 그가 그랬던 것처럼 새로운 생각을 가지면 오늘의 달리기가 색다르게 느껴질 것이다. 그는 책을 통해서 그 당시의 이야기들이 사진으로, 모두의 추억으로 남기를 바란다.

놀멍 LET'S ENJOY

강정천 암반수가 사계절 흐르는 깨끗한 마을

예로부터 물이 많아 물 '강汀', 물 '정汀'을 사용해 '강정'이라 불리던 마을이다. 사계절 맑은 물이 흘러 서귀포 식수의 70%를 강정천에서 공급할 만큼 한라산 천연 암반수가 사시사철 흐른다. 하천의 길이가 총 16㎞에 달하며 7개의 소, 6개의 교량, 13개의 폭포를 품고 있다. 하천 양쪽에는 기암절벽과 노송이 우거져 여름에는 더위를 피하기 위한 피서객과 올레꾼들로 많은 사랑을 받는다. 은어가 서식할 정도로 깨끗하며 용천수와 바다가 만나는 곳이기도 하다.

◉ 서귀포시 이어도로 669

다린 아이스홍시가 들어간 팥 가득 팥빙수

아이스홍시와 100% 국내산 팥, 그리고 곶감이 어우러진 팥빙수 맛집이다. 인위적인 단맛이 아닌, 자연의 단맛을 내기에 건강한 디저트를 즐길 수 있다. 팥 사이에 숨겨져 있는 곶감을 찾는 재미도 있다. 그 외, 가마솥에 30시간 푹 달인 쌍화탕과 대추탕, 오미자차도 인기다. 남녀노소 누구나 좋아해 부모님과 함께 방문해도 좋다. 깔끔하고 고풍스러운 느낌의 전통 찻집 인테리어가 한몫한다.

◉ 서귀포시 법환로 11 ☎ 064.739.7772

Editor's TIP 코스를 달리고 나서 올레길7코스를 따라 서건도가 보이는 해안가 길을 탐방해도 좋아요.

바다 옆 고요한 올레길

"상상만 해도
기분이 좋아지는 길이에요."

(코스 정보 카드)

RUN THE JEJU
38
· 코스 정보 ·

#범섬 #최영로 #해녀마을 #두머니물
#올레길7코스

법환바당   6km

◉ 난이도 하

◎ 러닝 시간 40분

◎ 워킹 시간 80분

◎ 주소 서귀포시 막숙포로 166

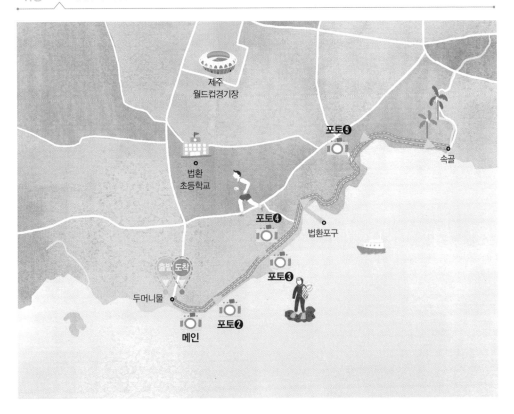

 두머니물 ＞ 법환포구 ＞ 속골 ＞ 원점 복귀

COURSE TIP

1 범섬을 바라보며 달리면 코스를 200% 즐길 수 있어요.
2 봄이면 유채꽃으로도 유명한 길이에요. 봄에도 달려 보세요.
3 범섬을 바라볼 수 있는 쉼터가 곳곳에 있어요. 잠시 앉았다가 출발해요.
4 코스 중간마다 있는 설명문을 읽으며 달리면 번환포구가 더욱 친근하게 느껴져요.

CAUTION

1 많은 올레꾼이 오가는 길이라 차량과 보행자를 조심해요.
2 해안 산책로는 자갈 바닥이에요. 발 디딤에 주의해요.
3 길이 좁은 구간도 있어요. 그룹 러닝을 한다면 한 줄로 달려요.

러닝의 즐거움을 많은 사람에게 알리고 싶은 **서준원 님**

서준원 님은 제주 바다를 사랑하는 다이버다. 고민이 많던 21살, 자전거 국토 종주를 하며 부산까지 내려왔고, 제주도를 가기 위해 부산에서 배를 탔다. 하지만 가는 날이 장날이라더니 태풍으로 인해 물에 모두 젖어 버리고 말았다. 모든 것들이 맘처럼 되지 않아 속상했지만, 우연히 배운 다이빙을 통해 모든 고민이 사라졌다. 그 이후로도 종종 제주에 와 다이빙을 하고, 그 앞길을 달린다. 이 길이 좋은 이유는 '다이빙을 하러 가는 길'이기 때문이다. 이 길을 뛸 때면 나도 모르게 설렌다. 달리기를 시작하기 어렵다면, 상상만 해도 기분 좋아지는 길을 달려 보는 건 어떨까? 혹은 좋아하는 일을 하러 갈 때 달려 보자. 잘 달리지 못해도, 달리는 모양이 어색해도 그 순간의 즐거움이 긍정의 기억으로 자리 잡을 것이다.

범섬을 나침반 삼아 바닷가를 따라 달리는 법환바당은 올레길7코스이다. 두머니물에서 시작한 달리기는 법환마을과 강정마을의 경계선으로서 옛 잦은 생계 싸움으로 인해 화합과 다짐을 하는 장소이기도 하다. 이곳은 유독 바다와 가까워 바다 위를 달리는 기분까지 드는데, 힘이 들 때면 저 멀리 보이는 새섬과 문섬을 등대 삼아 달리자. 달리는 내내 힘이 되어 줄 것이다. 이 코스의 특징은 또 있다. 최영 장군이 제주도를 강점한 몽고 세력인 묵호들을 토벌한 장소이기도 하다. 이 길을 달리며 당시의 전투를 상상하는 것도 색다른 묘미다. 특히, 다이버에게 추천하는 러닝 코스다. 아침에는 물속에서 바다를 즐기고, 오후에는 물 밖에서 바다를 즐기면 제주 바다와 더 가까워지는 시간이 된다. 달리기는 생각보다 어렵지 않다. 평소 좋아하는 길을, 설레는 길을 더욱 즐겁게 느끼게 해 줄 것이다!

놀멍 LET'S ENJOY

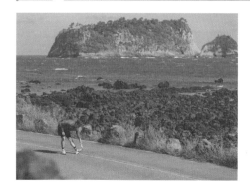

최영로 묵호의 난을 평정한 최영장군의 길

법환포구의 해안산책로 도로명이 '최영로'이다. 1374년 최영 장군이 묵호의 난을 평정하기 위해 묵호들과 전투를 벌인 마지막 격전의 장소다. 제주도에서 반란을 일으킨 묵호들은 퇴각하며 범섬으로 도망치듯 들어갔고, 결국 항거 10여 일 만에 평정되었다. 최영 장군이 주둔했던 길은 '막숙포로', 법환포구에서 강정동까지 이어지는 길은 '최영로'라 부르기 시작했다. 올레길7코스의 해안산책로라 많은 올레꾼이 이곳을 찾아 바닷가 산책을 즐긴다.

◉ 서귀포시 법환동 169-5

망고홀릭 서귀포법환점 내 맛대로 토핑하는 신선로 망고 눈꽃

신선로에 올라간 망고 빙수와 그 사이로 흐르는 드라이아이스는 카메라를 들 수밖에 없는 비주얼이다. 게다가 냉동이 아닌, 생망고가 한가득 나오기에 입안에서 사르르 녹아 비주얼도 맛도 합격이다. 개별 그릇에 담겨 나온 수제 팥과 인절미 떡, 망고 아이스크림, 시리얼을 원하는 취향 따라 자유롭게 곁들여 먹을 수 있다는 것이 특징이다. 생망고부터 망고를 활용한 다양한 식음료, 선물 세트도 판매하고 있다.

◉ 서귀포시 막숙포로 83 📞 064.739.3339

Editor's TIP 법환야외공연장의 공용화장실 앞에는 1년 후에 배달되는 느린우체통이 있어요.
이곳에서 1년 뒤의 나와 우리 가족에게 편지를 보내 보세요.

떠오르는 성장의 도시, 제주혁신도시

"오르막을 오를 때면 심장이 마구 요동치지만
나무들이 내뿜는 공기를 마시다 보면 어느새 분화구에 도착해요."

RUN THE JEJU

39

· 코스 정보 ·

#제주월드컵경기장 #고근산 #오름
#삼다체육공원 #설문대공원 #감귤길공원

새서귀포   7.6km

- 난이도   중
- 러닝 시간   60분
- 워킹 시간   100분
- 주소   서귀포시 월드컵로 33

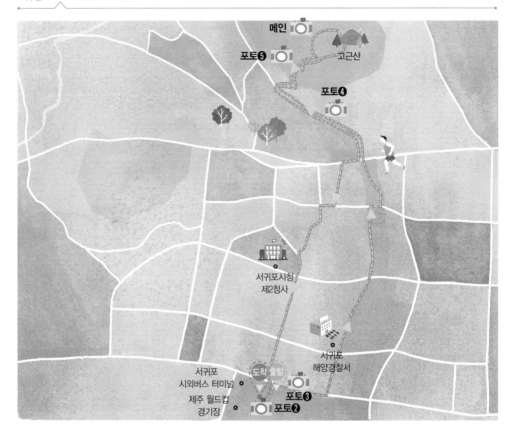

제주월드컵경기장 > 삼다체육공원 > 감귤길공원 > 고근산 > 원점 복귀

COURSE TIP

1 월드컵경기장 주변의 700m 트랙은 달리기 훈련에 좋아요.

2 월드컵경기장 앞, 하르방의 표정이 모두 달라 구경하는 재미가 있어요.

3 삼다체육공원에는 축구장과 트랙, 농구장, 배드민턴장 등의 다양한 시설이 있어요.

4 감귤길공원과 설문대공원도 현무암으로 조성되어 아기자기한 볼거리가 많아요.

CAUTION

1 고근산에 오를 때면, 페이스 조절이 중요해요. 힘들면 걸어도 괜찮아요.

2 고근산 정상을 지나 내려올 때면 힘을 빼고 가볍게 내려와요.

3 시티런은 보행자와 도로의 장애물을 조심해야 해요.

달리며 어제보다 조금 더 나은 내가 되는 **이계준 님**

반복되는 회사 생활과 불규칙한 음주와 흡연에 이계준 님은 점점 나태해져 갔다. 운동이 필요해 헬스장을 찾았지만, 그마저도 며칠 하지 못했을뿐더러 운동 후에 술을 더 많이 마시게 되었다. 그러다 우연히 드라마를 통해 '러닝크루'를 보고 큰 충격에 빠졌다. "저런 운동 모임이 있다고?" 함께 보고 싶은 마음에 SNS를 찾아 러닝크루와 달렸다. 그렇게 러닝 문화에 매료되었고 그의 인생은 러닝을 만나기 전과 후로 나뉜다. 3년째 금연은 물론, 음주도 줄었다. 몸과 마음이 건강한 친구들도 곁에 하나둘 생기기 시작했고 그의 여행 폭도 달라졌다. 술과 함께한 시끄러운 밤은 사라지고 그 자리를 제주의 오름과 산이 채웠다.

월드컵경기장 앞에 서면 당시의 생생한 함성과 흥분으로 두근거리는 설렘을 안고 출발할 수 있다. 길을 건너면 5개의 공원이 약 1.5km가량 이어지는데, 도심 속에서 이렇게 긴 공원을 달릴 수 있는 것은 큰 축복이다. 발걸음은 고군산을 향한다. 해발 200m의 작은 오름이지만 마라도부터 가파도, 한라산까지 주요 명소를 한눈에 모두 조망할 만큼 뷰가 빼어나다. 특히, 범섬 뒤로 반짝이는 야경은 가슴까지 벅차오르게 만든다. 고군산을 내려와 다시 월드컵경기장으로 달리는 길이 장관이다. 서귀포 앞바다와 범섬이 함께 놓여 있는데 내리막길이라 바다를 발아래 두고 하늘 위를 달리는 기분이다. 이계준 님은 달리면서 어제보다 조금 더 나은 내가 되는 것을 느낀다. 그리고 "여행은 도착하기 위해서가 아닌 여행하기 위한 것."이라는 괴테의 명언처럼 신서귀포 러닝 코스를 통해 여행의 폭이 넓어지길 소망한다.

놀멍 LET'S ENJOY

제주월드컵경기장 세계에서 가장 아름다운 경기장

2002년 월드컵을 위해 만들어진 축구 경기장으로, 관광지 특성답게 주변 자연환경과 조화를 이룬다. 오름과 분화구를 상징적으로 나타내고 바람이 많이 부는 제주 특성상 그라운드를 지표면 14m 아래 조성해 바람의 영향을 최소화하였다. 또한, 제주 전통 가옥인 '올레'를 진입 광장에 도입했고 제주 전통 떼배인 '테우'와 그물로 지붕을 형상화했다. 경기장 외에도 박물관, 워터월드 등 다양한 즐길 거리가 있다. 전 국제축구연맹 회장이었던 '제프 블래터'가 "세계에서 가장 아름다운 경기장"이라 언급하기도 했다.

◉ 서귀포시 월드컵로 33 📞 064.760.3601

고깃집 제주도민이 사랑하는 한우집

웻 에이징Wet Aging: 습식 숙성 방식으로 숙성한 국내산 한우 맛집이다. 건조 숙성을 하지 않기에 더욱 부드럽고 촉촉한 고기의 맛이 느껴진다. 모둠을 주문하면 다양한 부위를 즐길 수 있으며 선호하는 부위별로 개별 주문도 가능하다. 고기의 감칠맛을 더해 주는 다양한 반찬들이 함께 나온다. 식재료가 풍성하게 들어간 한우 차돌박이 된장찌개도 추천한다.

◉ 서귀포시 신서귀로51번길 15 📞 064.739.7383

Editor's TIP 고근산 정상에서는 한라산 정상을 제법 가깝게 볼 수 있어요. 맑은 날 오후 시간에 달리면 주황빛으로 물든 한라산을 맞이할 수 있어요.

40

· 코스 정보 ·

#새연교 #자구리공원 #소남머리
#외돌개 #동너븐덕 #야경

서귀포시   7km

"다양한 빛을 내는 새연교는
달리는 내내 지치지 않도록 힘을 줘요."

🏃 난이도 **중상**

⏱ 러닝 시간 **60분**

⏱ 워킹 시간 **100분**

📍 주소 **서귀포시 서흥동 707-4**

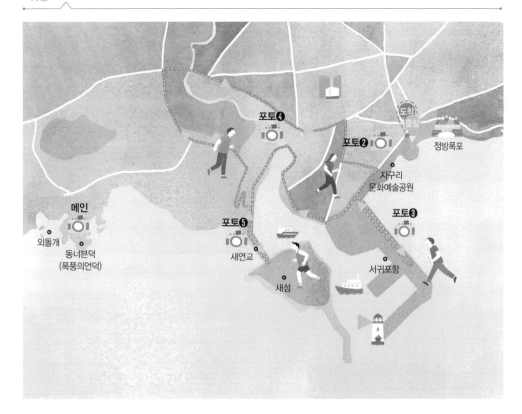

 새연교 ▷ 칠십리시공원 ▷ 이중섭거리 ▷ 자구리문화예술공원 ▷ 서귀포항 ▷ 원점 복귀

COURSE TIP

1   뛰다가 힘들면 빛나는 새연교를 보며 다시 힘을 내요.

2   자구리문화예술공원 아래의 용천수, 소남머리에서 땀을 식히고 다시 출발해요.

3   낮과 밤의 매력이 다르니 두 시간대를 모두 달려 보면 좋아요.

4   매주 수요일, 서러크와 함께 달리면 배로 즐거운 러닝이 될 거예요.

CAUTION

1   평탄하지 않은 바닥 구간도 있으니 조심해요.

2   다른 곳에 비해 도로 간격이 좁아요. 보행자와 차량에 주의해요.

3   새연교 위는 바람이 많이 불어요. 소지품이 날아가지 않도록 조심해요.

4   오르막을 오를 땐, 너무 바닥만 보지 마세요. 새연교의 풍경을 놓칠 수 있어요.

누구보다 서귀포를 사랑하고 알리고 싶은
서귀포러닝크루, SEOGWIPORC

고한성, 임연재, 양동주, 김민범 님은 서귀포를 달리는 서귀포러닝크루(이하 서러크)의 멤버다. 제주의 어디를 달려야 할지 모르겠다면, 제주를 달리는 사람들과 발을 맞춰 달리는 것이 정답. 새연교는 서러크의 정규런 코스이자 서귀포를 가장 잘 느낄 수 있는 코스다. 우거진 나무풍경과 도시의 사람 냄새, 그리고 바다와 항구의 소리. 세 가지의 볼거리를 모두 느낄 수 있다. 항구를 향해 달려 나가는 길은 바다 내음과 함께 시원하게 뻗어 있다. 반환점에서 만나는 자구리 공원은 '자트럴파크'라 불릴 정도로 여유와 낭만이 가득하다. 그 아래엔 용천수를 활용한 야외 노천탕 '소남머리'가 있는데 그곳에서 땀을 식히고 다시 출발해도 좋다. 반대로 돌아오면 뒤로는 보지 못했던 풍경들이 눈앞에 펼쳐지는데 야자수 나무까지 하나둘 켜지는 불빛이 한몫한다.

서러크는 4.3㎞ 추모 달리기를 통해 러너들에게 제주 4·3을 알리는 등 제주를 위해 의미 있게 달린다. 약 1,500명의 러너가 동참할 정도로 관심이 높다. 서러크 러너들은 한결같이 입을 모아 말한다. 제주도민으로서, 그리고 서귀포 시민으로서 다른 도시에 비해 인구도 적고 덜 발달된 서귀포에도 전국 각지의 많은 러너가 방문해 지역 관광도 활성화하며 함께 달리길 바란다고. 그날을 위해 서러크는 오늘도 새연교를 달린다. 새로운 인연을 잇는 새연교처럼 서러크와 새로운 인연을 잇고 싶다면 매주 수요일 저녁 8시, 새연교를 방문하자. 제주도민이나 서귀포 시민에게도 열려 있는 여행지 같은 코스다.

놀명 　LET'S ENJOY

새연교　새로운 인연을 만드는 다리

새연교는 서귀포항과 새섬, 그리고 서귀포 관광객과의 인연을 잇는다. 대한민국 최남단의 최장 보도교로 차량이 지나지 않는 산책로다. 특히, 직선과 곡선의 조화가 부드러우면서도 강인한 인상을 남기는데, 이는 통나무를 엮어 만든 제주 전통 통나무 배, '테우'를 모티브로 했다. 화려한 LED 조명 덕에 낮에 이어 밤에도 다리를 찾는 이들에게 빛나는 인연을 안겨 준다. 앉기만 해도 서귀포 노래가 나오는 뮤직 벤치도 있다.

◉ 서귀포시 서홍동 707-4

웅담식당　제주도민이 사랑한 솥뚜껑 흑돼지오겹살

솥뚜껑에 구워 먹는 제주산 오겹살로, 단일 메뉴만 판매해 고기의 신선도가 높다. 특히, 노릇노릇하게 구워진 흑돼지 오겹살과 파절임을 한 쌈 가득 먹으면 아삭한 식감을 잡아 주면서 제주 흑돼지의 쫄깃함만 남는다. 마지막으로 볶음밥을 주문한 뒤, 그 위로 남은 파절임을 조금 추가하면 눈과 입이 끝까지 즐겁다. 제주도민의 회식 장소로 유명한 만큼 제주 달리기 여행을 끝마친 러너에겐 최고의 한 상이다.

◉ 서귀포시 중앙로59번길 5　☎ 064.762.6442

Editor's TIP 자구리문화예술공원은 여러 작가들의 작품을 관람할 수 있는 작가의 산책길, '유토피아로'에 속해 있기도 해요. 특히 이중섭 화백의 작품도 설치되어 있으니 잠시 멈춰 작품을 감상해도 좋아요.

다이버가 추천하는 물속과 물 밖 모두 아름다운

RUN THE JEJU

41

· 코스 정보 ·

#보목포구 #올레길6길 #소천지
#정방폭포 #소남머리

섶섬   **10km**

"달리기와 다이빙이 모두 가능한
하와이를 닮은 이국적인 러닝 코스예요."

🏃 난이도   중

⏱ 러닝 시간   **70분**

⏱ 워킹 시간   **120분**

📍 주소   서귀포시 보목포로 50

208

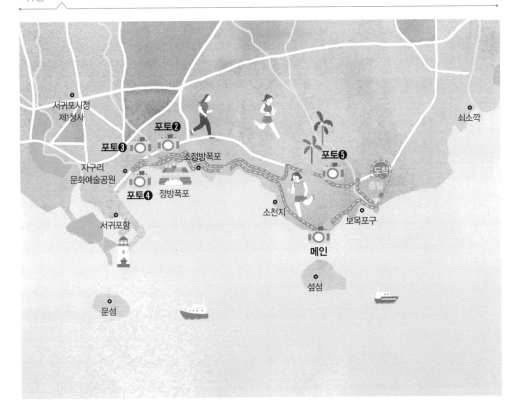

보목포구 ▶ 소천지 ▶ 정방 폭포 ▶ 자구리문화예술공원 ▶ 원점 복귀

COURSE TIP

1 올레길6코스에 포함되어 있어 파란 올레길 표지만 따라가면 돼요.
2 반환점인 정방폭포에서 그냥 돌아오기보다는 탐방을 통해 여행을 즐겨요.
3 갯바위에서 해녀할망이 직접 채취한 해산물을 먹고 싶다면 현금을 주머니에 넣고 달려요.
4 섶섬 근처의 '제지기오름' 전망대에서도 섶섬을 한눈에 바라볼 수 있어요.

CAUTION

1 유동인구가 많은 올레길을 다닐 때는 늘 보행자를 조심해요.
2 야자수 길에는 차량이 많으니 달리거나 사진 찍을 때 항시 주의해요.
3 폭포 옆의 갯바위는 미끄러워요. 넘어지지 않도록 해요.

건강함과 긍정의 에너지를 공유하는 **박효진 님과 Meet the fit girls**

나무가 빼곡하게 들어선 무인도, 섶섬은 '숲섬'이라고도 불린다. 유네스코 생물권 보전 지역으로 국내 유일의 천연기념물 파초일엽 자생지이기도 하며, 파도와 바람을 막아 주어 마을 주민에게는 없어선 안 될 존재다. 특히나 근처의 문섬, 범섬과 더불어 다이빙 천국이다. 한류와 난류가 교차하는 곳이라 화려한 색상의 어종은 물론이고 연산호 군락지도 볼 수 있다. 박효진 님은 섶섬에서 다이빙을 즐기던 중 생각했다. "바다에서 보는 섶섬도 이렇게 아름다운데, 땅에서 달리며 보는 섶섬은 어떨까?" 그녀는 함께 달리는 친구들을 섶섬으로 초대했다. 공통의 관심사가 있는 친구들이 모여 러닝, 등산, 요가 등의 운동 모임을 열었고 건강을 의미하는 Fit을 더해 'Meet the fit girls'이라는 이름이 되었다.

보목마을은 야자수 길로도 유명하다. 하늘 높이 솟은 야자수는 다른 야자수보다 풍성하고 건강해 달리는 내내 기분까지 좋아진다. 부드러운 능선 길은 초보자도 안전하게 달릴 수 있으며 바닷길과 오솔길, 돌담길까지 다양한 매력이 공존하는 곳이다. 보은 님은 함께 달리는 즐거움으로 "유대감"을 꼽는다. 강인한 면은 응원하고 여린 면은 다독이는 과정에서 서로는 더욱 단단해진다. 효진 님은 "도전"을 말한다. 혼자였다면 시작하지 못했겠지만, 함께하니 도전의 힘이 생긴다. 현경 님은 "긍정"을 외친다. 함께 달리며 혼자서는 절대 충족할 수 없는 긍정의 에너지를 얻는다. 여행 가방에 구두 대신 운동화를 넣어 보자. 다이버 박효진 님은 섶섬 코스를 시작으로 많은 다이버들도 러닝에 도전해 보길 바라고 있다.

놀멍 LET'S ENJOY

정방폭포 바다와 만나는 물방울이 찬란하게 빛나는 곳

제주 3대 폭포 중 하나로 국내 유일 바다로 직접 떨어지는 폭포다. 나무 계단을 내려가면 정방폭포의 모습을 볼 수 있는데 바다로 떨어지며 생긴 물방울이 반짝여 마치 선녀가 목욕하는 듯 찬란한 모습이다. '정방폭포 옆 작은 폭포'를 뜻하는 소정방폭포와 서귀포의 지명 유래를 알 수 있는 서복전시관도 또 다른 볼거리다. 서복 10경 코스도 함께 둘러보면 좋다.

◉ 서귀포시 동홍동 299-3　☎ 064.733.1530
⑤ 입장료 성인 2,000원 청소년 1,000원 장애인·경로인 무료

섶섬할망카페 문어 해물라면과 제주도 전통 발효 음료 '순다리'

카페라는 이름을 갖고 있지만 실은 분위기 깡패인 해물라면 집이다. 허름한 외관이 가진 세월의 흔적은 오랜 기간 살아남을 수 있던 이유를 말해 준다. 쫄깃한 문어가 올라간 해물라면은 바다의 향을 가득 머금었다. 여기에 각종 잡곡이 추가된 공깃밥과 말아 먹으면 인생라면이 완성된다. 순다리는 제주도의 전통 발효 음료로 요거트와 막걸리, 사이다 맛이 나며 유산균이 함유되어 있어 건강에 좋다. 음식이 나오는 동안 바다를 보며 넋 놓고 있으면 금세 해물라면의 향이 내게 온다. 뿔소라 한 접시도 추천 메뉴이다.

◉ 서귀포시 보목로64번길 11　☎ 064.733.8673

2

3

5

Editor's TIP

보목포구로 돌아오는 칠십리로는 마치 캘리포니아를
연상케 해요. 우리는 이곳을 섶니포니아라고 부르죠.

4

오백 장군이 지켜 주는 오름

"윗세오름에 오르면 한라산이 나를 감싸고 있어
세상을 다 가진 것 같아요."

RUN THE JEJU
42
· 코스 정보 ·

#영실 #윗세오름 #남벽분기점
#영실기암 #오백나한 #트레일러닝

영실   24km

- 난이도 **최상**
- 러닝 시간 **300분**
- 워킹 시간 **400분**
- 주소   제주 서귀포시 영실로 495

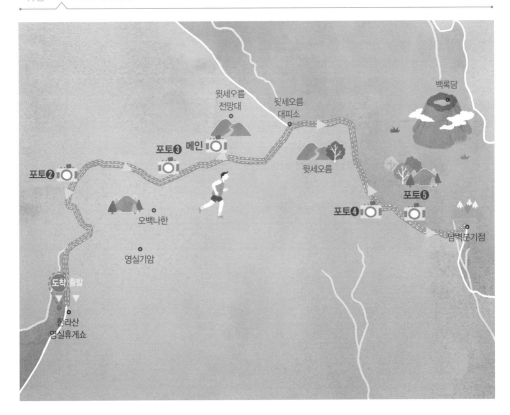

 영실탐방로 ＞ 영실기암 ＞ 윗세오름 ＞ 남벽분기점 ＞ 원점 복귀

COURSE TIP

1 트레일러닝 장비와 물, 간식 등의 준비물을 갖춰 달려요.
2 철쭉, 단풍, 흰 눈 등 서로 다른 매력이 있어 사계절을 경험하면 좋아요.
3 달릴 때는 탐방객이 깜짝 놀랄 수 있으니 "지나가겠습니다." 등의 말로 신호를 보내요.
4 한라산 노루를 찾아보세요. 운이 좋다면 만날 수도 있어요.

CAUTION

1 데크 보호와 다른 탐방객을 위해 스틱 사용은 자제해요.
2 대부분 데크 길로 조성되어 있지만, 폭이 넓지 않고 깨진 곳도 있으니 주의해요.
3 윗세오름에서 남벽분기점까지는 너덜길돌길이 많아 발목을 조심해요.
4 계절과 기상 이변에 따라 입산 시간을 통제해요. 반드시 홈페이지를 참고해요.

병원 대신 달리기를 선택한 **구본환 님**

한라산에서 가장 아름다운 구간으로 손꼽히는 영실을 달려 보자. 백록담까지 갈 수는 없지만, 영실기암과 오백나한, 윗세오름까지 볼거리가 연이어 펼쳐진다. 계절별로 다양한 야생화가 얼굴을 내미는 완만한 길이라 초보자도 주변 수목과 풍경을 즐길 수 있다. 한라산 영실에는 영주 10경 중 하나인 '영실기암'이 있다. 기암절벽이 병풍처럼 우직하게 펼쳐져 있는 모습이 놀라운 경치를 선사한다. 등산로 아래의 영실 계곡과 주변을 둘러싼 웅장한 벽을 바라보면 힘든지도 모른다. '위에 있는 세 개의 오름'이란 뜻의 윗세오름에 오르면 한라산이 나를 감싸고 있어 바람도 잠잠하고 순간 고요해진다. 세상을 다 가진 것만 같다. 윗세오름과 돈내코로 나뉘는 남벽분기점에서 되돌아오면 러닝 코스는 마무리된다.

구본환 님은 건강검진을 통해 의사에게서 두 제안을 받았다. 평생 약을 먹거나 매일 7㎞ 이상 달리기를 하는 것이다. 그는 약 대신 달리기를 선택했다. 그렇게 시작한 달리기가 풀코스 6회를 완주하게 하고 트레일러너로 만들었다. 달리면서 건강도 회복하고 체력도 좋아지니 달리기 전보다 삶의 질이 확연히 달라졌다. '한라산' 하면 모두가 백록담을 떠올리지만, 그는 여전히 윗세오름의 절경을 최고로 꼽는다. 그처럼 삶의 질을 바꿔 보고 싶다면 주변 풍경부터 바꿔 보자. 지금 입고 있는 신발과 옷도 좋다. 명소가 아니더라도 주변을 달리다 보면 세상이 달라 보인다.

놀멍 LET'S ENJOY

영실기암과 오백나한 하늘 높이 솟은 500개의 기암절벽

한라산 영실 코스에서 만나는 영실기암은 백록담 서남쪽의 해발 1,600m에 형성된 수직 암벽이다. 한라산을 대표하는 경승지로 영주 10경에 속하며 철쭉, 단풍, 눈꽃 등 사계절 내내 아름답다. 영실기암에는 설화가 전해 내려온다. 500명의 아들을 둔 홀어머니가 아들들을 위해 죽을 만들다 가마솥에 빠져 죽고 말았는데, 아들들이 허겁지겁 죽을 먹다가 어머니의 뼈를 발견하고 그 자리에 굳어 바위가 되었다는 이야기다. 500개가 넘는 기암괴석은 '오백나한' 또는 '오백장군'이라 불린다.

◉ 서귀포시 하원동 산1-4번지

안거리밖거리 한 상에 가득 나오는 제주의 음식들

제주에 왔다면 꼭 맛보아야 할 음식들이 있다. 하지만 모든 것을 맛볼 수 있는 시간이 없다면 한 상 차림으로 제주의 음식을 맛볼 수 있는 식당은 어떨까? 반찬 열 가지와 쌈, 미역국, 옥돔구이, 된장찌개, 계란찜, 돔베고기까지 나오는 정식이 만 원도 안 되는 놀라운 가격이다. 저렴한 가격이지만 고향에 내려와 제대로 대접받는 기분을 느낄 수 있는 푸짐한 한 상이다.

◉ 서귀포시 솔동산로 6-1 ☎ 064.763.2552

Editor's TIP 한라산은 자연유산 보호를 위해 탐방예약제를 시행해요. 성판악과 관음사 코스는 예약이 필수지만 어리목과 돈내코 그리고 영실코스는 비예약제예요. 만일 성판악과 관음사 코스를 미처 예약하지 못했다면 영실코스를 탐방해도 좋겠죠?

용왕의 아들이 살던 넓은 들

"날씨가 너무 덥다면 천연 해수 풀장,
논짓물에 발을 담가 열을 식혀요."

#하예포구 #박수기정 #논짓물
#해녀공연장 #예래생태마을

용왕난드르 9km

◢ 난이도 중

◎ 러닝 시간 70분

◎ 워킹 시간 120분

◎ 주소 서귀포시 안덕면 감산리 982-2

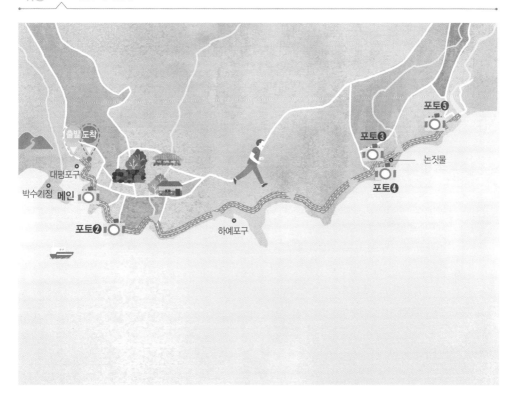

 대평포구 ❯ 올레길8코스 ❯ 논짓물 ❯ 갯갓다리 ❯ 원점 복귀

COURSE TIP

1. 날씨가 너무 덥다면 논짓물에 발을 담가 열을 식혀요.
2. 대평포구에서 특정 기간에 난드르 올레 좀녀해녀 해상 공연을 운영해요.
3. 용왕난드르 마을에서 농사 체험과 염색 체험, 바다 생태 체험까지 가능해요.
4. 이용료를 내면 논짓물의 그늘 자리를 이용할 수 있어요.

CAUTION

1. 코너는 차량이 잘 보이지 않으니 안전에 유의해요.
2. 불규칙한 도로 구간이 있어 발목을 조심해요.
3. 예래천은 국내 제1호 반딧불이 보호 지역이에요. 소음과 빛, 향수를 자제해요.
4. 논짓물 담수장은 19시 이후 입수 금지예요.

청소년에게 꿈을 설계하고 싶은 **도병훈 님**

해안도로는 늘 여행자로 북적이지만 이곳은 왜인지 방음벽이 있는 것처럼 조용하다. 수직으로 꺾인 약 130m 높이의 벼랑은 마치 병풍처럼 바람을 막아 준다. 대평포구에서 시작한 용왕난드르 러닝 코스는 논짓물을 지나 갯갓다리에서 반환해 돌아온다. 달리는 내내 고요함과 묵직한 절경에 용왕의 아들이 된 것 같은 기분이다. 게다가 반환점에서는 바다를 뜻하는 '갯'과 끄트머리를 뜻하는 '깍'이 합쳐져 바다 끝머리에 있는 갯깍주상절리대 또한 마주할 수 있다. 용암이 급격히 식으며 발생하는 수축 작용의 결과로 해안을 따라 난 다각형의 기둥 절벽은 절경이다. 곳곳에는 커다란 동굴유적도 남아 있다. 갯깍주상절리대 외에도 논짓물, 개다리폭포, 환해장성 등 다양한 자연문화유적을 비롯해 제1호 반딧불이 보호지역이 있다. 고요함과 신비로움에 온전히 나를 마주할 수 있는 러닝 코스다.

도병훈 님은 제주 여행 중, 나만의 러닝 코스를 찾기 위해 차를 타고 해안도로로 나섰다. 그리고 이곳은 그에게 비밀 장소가 되었다. 조용하고 잔잔한 하예포구는 그에게 더욱 매력적으로 다가왔다. 도병훈 님은 국민대학교 러닝크루 '북악러너스'의 크루장이다. 크루를 이끌어야 한다는 책임감에 처음에는 막막했지만, 평소 기획에 관심이 많았기에 위기를 기회로 만들어 보자 생각했다. 크루를 통해 해 보고 싶던 여러 기획을 도전하니 러닝크루에 애착이 생기고, 그의 꿈도 더욱 구체화되었다. 하고 싶은 일이 있을 때 '내가 할 수 있을까?'라는 걱정 대신 일단 한 발을 내밀어 보자. 러닝에도 처음부터 42.195㎞가 존재하지 않는다. 위대한 첫 발자국이 42.195㎞를 만든다.

놀멍   LET'S ENJOY

박수기정 용왕의 아들이 만든 빙음벽

바가지로 마시는 샘물 '박수'와 절벽 '기정'이 합쳐져 깨끗한 샘물이 솟는 절벽이라는 '박수기정'에는 설화가 있다. '용왕난드르'라는 마을 이름처럼 용왕의 아들은 이곳에서 학문을 배웠지만, 냇물이 세차게 흘러 공부에 방해되었다. 고요한 마을을 위해 세운 방음벽이 박수기정이다. 박수기정 위와 아래, 어디서 둘러 보아도 약 130m의 높이는 그야말로 절경이다.

◉ 서귀포시 안덕면 감산리 1008

까사디노아 Casa di Noa 로마식 피자 '핀사'

이태리에서 직수입한 밀가루와 쌀가루, 콩가루로 만들어 로마식 피자인 '핀사'의 맛을 제주에서 만날 수 있다. 한 입 베어 물 때마다 재료의 부족함이 없어 풍부한 식감이 입안에 감돈다. 재료의 이름을 몰라도 괜찮다. 친절한 직원이 주문 전 메뉴를 소개한다. 가지가 올라간 '파르마자나 인 베르데'가 인기 메뉴이며 1인 1판을 권장한다.

◉ 서귀포시 안덕면 대평로 42 (창천리 901-1) ☎ 064.738.1109

Editor's TIP 겨울철의 대평리는 사람보다 감귤이 많을 정도로 인적이 드물어요. 달리다가 돌담 밖으로 나온 주황빛 감귤과 돌담을 배경으로 사진을 찍으면 이만큼 제주스러운 풍경이 따로 없어요.

자연이 만든 신의 조각품

"코너를 돌 때면, '저 너머엔 무엇이 있을까?'
하는 기대감으로 힘든 줄 모르고 달릴 수 있어요."

44
· 코스 정보 ·

#대포주상절리 #천제연폭포 #여미지식물원 #아
프리카박물관

대포주상절리 5.4㎞

🅜 난이도 하

◎ 러닝 시간 40분

◎ 워킹 시간 80분

◎ 주소 서귀포시 이어도로 49

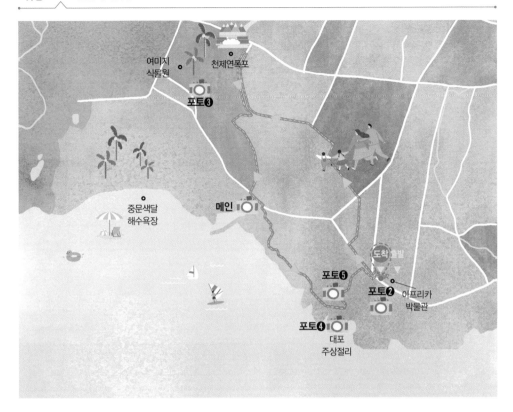

 아프리카박물관 > 천제연폭포 > 대포주상절리 > 원점 복귀

COURSE TIP

1 중문관광단지는 볼거리가 많아요. 달리기 중간, 관광을 함께하면 런트립이 완성돼요.
2 천제연 폭포 옆, 선임교의 칠선녀 조각상도 놓쳐서는 안 될 포인트예요.
3 관광하고 싶은 관광지의 주차장에서 출발해 코스를 직접 만들 수 있어요.

CAUTION

1 신호등이 없는 횡단보도를 건널 때는 차량에 주의해요.
2 차가 지나지 않더라도 늘 안전한 보행도로를 이용해요.
3 주상절리 해안 산책로는 숲이 우거진 곳이 있을 수 있으니 머리 위를 조심해요.
4 주차장에서 갑자기 차가 출발할 수 있으니 늘 주변을 살펴요.

온 가족이 함께 달려야 비로소 행복한 **김종태 님**

제주의 여미지 식물원은 김종태 님이 아내와 여행 온 첫 1박 2일 여행지였다. 출장으로 수없이 온 제주도지만 함께한 제주가 진짜처럼 느껴졌다. 경이롭도록 아름다웠던 식물원과 중문단지의 주상절리대를 이제는 딸 가현이와 아들 수환이가 함께 달린다. 그는 10살 아들과 함께 마라톤 대회에 참가할 정도로 운동과 가족 간의 시간을 소중히 여기고 또 좋아한다. 하지만 딸과는 많은 추억을 만들지 못했다. 3살부터 6살까지 가장 예뻤을 딸을 일로 인해 곁에 두지 못했다. 이제야 퍼즐을 맞춘 듯 온 가족이 모였고, 아내와 함께했던 여행지를 온 가족이 달린다. 아름다운 추억 위에 또 다른 추억으로 단단하게 만들어 가는 중이다. '좋은 아빠'라고 기억해 준다면 종태 님은 아빠로서 바랄 것이 없다.

대포주상절리의 옆길은 빼곡하고 높이 솟은 야자수 덕에 좁은 미로를 달리는 것 같은 재미가 있다. 유동 인구가 적어 해안 산책로를 빌린 기분이다. 숲으로 우거진 길을 달리다가 갑자기 시야가 밝아지는 순간이 있는데, 탁 트인 해안가 모습에 나도 모르게 달리는 법을 잊은 듯 멈춰 서서 풍광을 보게 된다. 내려온 만큼 다시 계단을 올라가야 하지만 달리며 내가 만들어 내는 나무 데크의 발소리를 들으며 밀림 사이의 길을 달리면 어느새 천제연 폭포에 다다른다. 코너를 돌 때마다 저 너머에는 무엇이 있을까 하는 기대에 힘든 줄 모른다. 중문관광단지로 출장을 왔다면, 혹은 주차하는 수고를 덜어 시간을 확보하고 싶다면 꼭 달려 보자.

대포주상절리   바다에서 우뚝 솟은 돌 병풍

주상절리는 기둥 모양의 수직절리로 손으로 깎은 듯 다각형의 모습을 갖고 있다. 흘러나온 용암이 급히 식으면서 시작된 수축 작용의 결과다. 4각형부터 6각형까지 다양한데, 바다와 가까울수록 수축 작용이 더욱 활발해 뚜렷한 다각형의 모습을 한다. 우리나라 최대 규모의 주상절리로, 가히 인간도 만들 수 없는 자연의 조각품이다. 특히, 검은 현무암에 파도가 치면서 흰 바다 거품이 일렁일 때면 대포주상절리의 본모습을 가장 잘 느낄 수 있다.

◈ 서귀포시 이어도로 36–30   ☎ 064.738.1393
◐ 입장료 성인 2,000원 어린이 1,000원

오는정김밥 & 짱구분식

서귀포에서 가장 유명한 유부 튀김 김밥집

튀긴 유부가 들어가 지금까지 먹어 보지 못한 바삭하고 고소한 식감의 김밥이다. '오는정김밥'이 원조 메뉴이며 반드시 방문 예약 후, 포장만 가능하다. 김밥으로 부족하다면 근처에 있는 '짱구분식'에 들러 모둠치기와 함께 먹는 것을 추천한다. 모둠치기에는 튀긴 떡과 김말이, 소면, 어묵, 고구마튀김, 김치전, 그리고 김밥이 함께 있어서 푸짐하게 먹을 수 있다.

오는정김밥 | ◈ 서귀포시 동문동로 2   ☎ 064.762.8927
짱구분식 | ◈ 서귀포시 중동로48번길 3   ☎ 064.762.6389

아이와 함께 달리기 위한 TIP

Editor's TIP

하나. 아이에게 달리기를 강요하지 마세요.
대신 소풍과 같은 인식을 통해 계속해서 동기부여를 주고 달리고 싶을 때까지 기다려 주세요.

둘. 달리기 후에는 적극적인 칭찬과 보상을 주세요. 자랑스러운 첫 기억이 아이를 꾸준히 달리게 합니다.

셋. 아이의 발걸음을 맞춰 주세요.
부모의 욕심보다는 아이가 그 순간을 즐기고 스스로 다음 목표를 세울 수 있도록 도와주세요.

온 가족이 함께 즐기기 좋은

45

RUN THE JEJU

· 코스 정보 ·

#중문색달해수욕장 #중문관광단지
#쉬리의언덕 #서핑

중문   2.3km

🏃 난이도 **하**

🕐 러닝 시간 **20분**

🕐 워킹 시간 **30분**

📍 주소 **서귀포시 안덕면 사계리 2147-36**

" '쉬리의 언덕'에 서면
바람 따라 스트레스가 저 멀리 날아가는 듯해요."

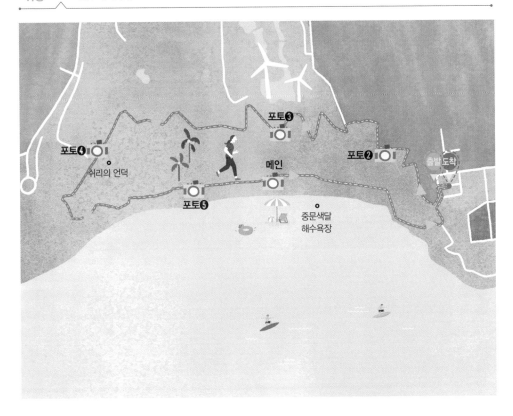

포토❸

포토❹

쉬리의 언덕

메인

포토❷

출발·도착

포토❺

중문색달
해수욕장

 중문색달해수욕장 주차장 ＞ 쉬리의 언덕 ＞ 중문색달해수욕장 ＞ 원점 복귀

COURSE TIP

1　신발과 양말을 모두 벗고 해변을 뛰어 보세요. 색다른 경험이에요.

2　해변 끝에는 모래를 씻는 곳이 있어요. 걱정 말고 마음껏 달려요.

3　여유가 된다면 쉬리 벤치에 앉아 뜨는 해를 반기고 지는 해와 인사해요.

4　제주도에서 서핑하기 가장 좋은 곳이에요. 도전해 보세요.

CAUTION

1　맨발로 해변을 달릴 때는 다치지 않도록 주의해요.

2　산책로는 제주 특유의 울퉁불퉁한 바닥이라 접질리지 않도록 조심해요.

3　가족 단위의 보행자가 많아요. 부딪치지 않도록 속도를 줄여요.

나만의 런 스폿을 달리며 기쁨을 공유하는 **정미슬 님**

달리기 위해 먼 곳까지의 이동이 부담스럽다면 묵고 있는 호텔 주변을 달려 보는 건 어떨까? 운동화만 신으면 언제든 나갔다가 다시 들어올 수 있으며 등잔 밑이 어둡듯 오히려 놀랄 만한 나만의 비밀 러닝 코스를 발견하게 될지도 모른다. 정미슬 님 역시, 우연히 러닝 코스를 발견하게 되었다. 제주 중문관광단지에서 투숙할 때면 늘 호텔 앞의 산책로를 걷고 달렸는데 호텔에서 관리해 깔끔함은 물론이고, 위에서 아래로 한눈에 내려다보는 중문 해변도 잊을 수 없다. 투숙객이 아니더라도 누구나 방문해 파도 소리를 듣고 여유와 낭만을 만끽할 수 있는 그녀만의 비밀 러닝 코스를 소개한다.

올레길8코스와 접점이기도 한 산책길은 차가 오가지 않아 안전하며 꽃향기 가득한 산책로다. 달리다 보면 한국 영화 〈쉬리〉의 마지막 촬영지, '쉬리의 언덕'에 도착한다. 바다가 보이는 언덕 위 벤치로 영화를 통해 유명해지면서 '쉬리의 언덕'이라는 이름도 갖게 되었다. 이곳에 앉아 바다를 내려다보면 그간의 스트레스가 바람 따라 저 멀리 날아가는 것처럼 가뿐함이 느껴진다. 해변으로 조심히 내려오면 오른쪽으로 바다를 끼고 해안가를 달리게 된다. 특히, 여름에 달리면 해변에서 서핑하거나 태닝을 즐기는 사람들을 볼 수 있어 구경하는 재미는 덤이다. 중문관광단지 근처에서 투숙하게 된다면 조식 먹기 전 아침 일찍, 혹은 저녁 식사 전 노을 질 때 달려 보자. 기대도 못 했던 보물을 찾게 될 것이다.

놀멍　LET'S ENJOY

소보리당로222　중문에 있는 따뜻한 감성 카페

전체적인 화이트 톤에 자연을 닮은 우드로 포인트를 준 감성 카페. 특히, 창밖으로 보이는 귤나무가 조화롭다. 소보리라떼와 플랫슈페너가 시그니처 커피로 소보리라떼는 아이스크림이 들어간 라떼 위에 부드러운 수제 크림이 곁들어졌다. 토핑된 콩가루가 더욱 달콤하면서 진한 커피 향을 낸다. 수제 디저트 '팥인절미 티라미수'도 인기다. 좌석이 많지는 않지만 그만큼 여유로운 공간에서 차를 마실 수 있다.

◉ 서귀포시 소보리당로 222　☎ 010.3832.7896

중문색달해수욕장　서퍼들의 천국

활처럼 굽은 긴 백사장에 하늘 높이 솟은 야자수는 이국적인 모습이다. 특히, 이곳의 모래는 '진모살'이라 불리는 검은색, 흰색, 적색, 회색의 네 가지 모래가 섞여 빛의 각도에 따라 해변의 색이 달라지는 신비로운 해수욕장이다. 다른 해수욕장보다 파도가 잦고 높아 서퍼에게 인기인 해양 스포츠의 천국이다. 매년 6월이면 국제 서핑대회가 개최되기도 하며 서핑 외에 윈드서핑, 요트 등 다양한 해양 스포츠를 즐길 수 있다. 해변 뒤로는 중문 리조트 단지가 있어 가족 단위의 여행객이 자주 찾는다.

◉ 서귀포시 색달동 3039

Editor's TIP 이른 아침에 호텔 단지 앞 산책로를 달려요. 이슬이 맺혀 있는 풀잎과 풀벌레 소리를 만끽할 수 있어요.

서부

안덕면 | 대정읍 | 한경면 | 한림읍 | 애월읍

가마우지 요람, 생이기정

올레길12코스를 따라 당알오름으로 향하는 길 옆으로 독특한 해식애를 만날 수 있다. 층리구조의 하얀 해안절벽이 눈에 띄는데, 이는 가마우지가 터를 잡고 오랜 기간 동안 배설물을 쌓아 올린 자연 작품이라고 할 수 있다. 팬데믹 시대가 도래하고 올레길을 찾는 이들이 주춤한 사이 한층 깊은 하얀 빛을 뽐낸다. 가마우지가 그려 낸 뉴노멀이다. | 생이기정 p.264

용머리해안 서귀포시 안덕면
층층이 쌓아 올린 네이처 아뜰리에

푸른 바다와 웅장한 산이 어우러진 곳

#사계해변 #형제섬 #올레길10코스

사계   7.2km

"동이 들 때, 점점 드러나는 산방산은
자아도취에 빠지게 해요."

- 난이도 하
- 러닝 시간 50분
- 워킹 시간 100분
- 주소 서귀포시 안덕면 사계리 2147-36

 사계항　＞　사계리해안체육공원　＞　산이수동항　＞　원점 복귀

COURSE TIP
1 형제섬 전망대 주변의 넓은 잔디 광장에서 잠시 쉬었다 가도 좋아요.
2 동틀 때와 해 질 때 달려 보세요. 감동이 배로 느껴질 거예요.
3 러닝 후, 산방산탄산온천에서 탄산 온천수를 즐겨 보세요.

CAUTION
1 올레길을 걷는 올레꾼이 많아요. 보행자를 조심해요.
2 그늘이 없어요. 선글라스와 모자, 선크림을 잊지 마세요.
3 사계해변은 침식 작용으로 인해 점점 면적이 감소해요. 자연을 아끼고 보호해요.

제주에서 첫 달리기를 통해 삶의 전환점이 된 **김성훈 님**

동이 틀 무렵의 산방산은 넋을 잃게 만드는 아름다움이다. 사계는 산과 바다 전망을 동시에 즐길 수 있는 곳으로 '한국의 아름다운 길 100선'에 선정될 만큼 곳곳이 아름답다. 시원하게 쭉 뻗은 길은 헤맬 필요도, 달리다가 멈춰 설 필요도 없다. 넓고 깨끗한 보행자 도로 역시, 달리기에 안전하다. 특히 이른 아침, 산방산을 바라보며 달리다 보면 햇살에 반사되어 사계해변의 어두운 도로는 서서히 동쪽빛으로 물이 든다. 어느새 성큼 다가온 산방산과 가까워지면 가슴이 웅장해지곤 한다. 처음에는 한 치 앞도 보이지 않는 어둠이지만 달리고 돌아올 때면 해변 위로 빛나는 반짝임이 오늘을 더욱 힘 있게 만들어 주는 러닝코스다.

김성훈 님은 사계해변에서 인생 첫 달리기를 경험했다. 유럽 여행 중 서퍼를 목격한 후, 서핑을 제대로 배우기 위해 부산과 양양 등을 다니다가 서핑의 성지라는 제주까지 내려오게 되었다. 여러 서핑 스팟 중 그가 찾은 곳이 바로 사계해변이다. 서핑처럼 삶의 즐거움을 주는 도전에 목말라 있을 때 우연히 마라톤 기사를 보았고 덜컥 마라톤을 신청해 버렸다. 연습을 위해 새벽러닝을 하게 되었는데, 그렇게 자의적으로 시작한 제주에서의 첫 달리기가 그를 새롭게 만들어 준 것이다. 전에는 달리는 사람들을 이해하지 못했지만 지금은 시도조차 해 보지 않은 과거의 자신을 반성하게 되었다. 새로운 도전을 통해 시야도 넓어지고 러닝크루도 만들었다. 생각을 바로 실행으로 옮기고 실천하는 건강한 삶이 된 것이다. 사계리는 다른 관광지를 가기 위한 길목이지만 어떤 삶을 살아야 할지 한 치 앞도 보이지 않는다면 한 번쯤 머물며 달려 보자. 그처럼 인생의 새로운 전환점이 되어 줄지 모른다.

놀멍 LET'S ENJOY

형제섬 바다 위 마주 보는 두 개의 섬

두 개의 섬이 우애 좋은 형제처럼 마주하고 있다 하여 '형제섬'이라 불린다. 밀물에는 바다에 잠겨 있다가 썰물에 모습을 드러내는데 보는 방향에 따라 섬의 개수가 제각각으로 보인다. 큰 섬, '본섬'에는 모래사장이 있으며 작은 섬, '옷섬'에서는 주상절리층을 볼 수 있다. 산방산 유람선을 타고 섬 한 바퀴를 유람할 수 있으며 낚시와 다이빙 포인트로도 유명하다. 특히, 일출과 일몰 명소로 유명한데 두 섬 사이로 떨어지는 낙조는 그중 최고의 경관이다.

◉ 서귀포시 안덕면 사계리 3530-4 ▣ 064.760.2913

사계생활 은행을 개조해 만든 카페

사계리의 농협을 개조해 만든 카페로 문화복합 공간이다. 접수대와 번호표, 금고, 테이블 등 옛 모습을 그대로 간직해 다양한 볼거리를 제공한다. 특히, 은행 대기표로 울리는 벨이 재미있다. 각종 전시가 진행되고 물품도 판매해 볼거리가 넘친다. 보드라운 우유 거품이 산방산처럼 솟아 있는 '산방산카푸치노'와 벨기에 다크 초콜릿이 토핑된 '돌담크림모카'가 시그니처 메뉴다.

◉ 서귀포시 안덕면 산방로 380 ▣ 064.792.3803

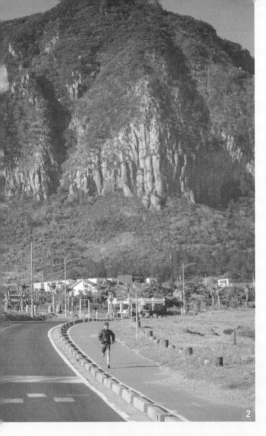

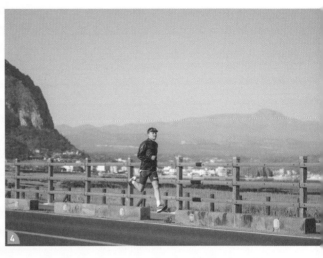

Editor's TIP 사계해변은 한라산과 산방산, 송악산까지 한눈에 담으며
서핑을 즐길 수 있는 서핑 포인트예요. 입문자에게 적합한
파도가 들어오니 안전하게 배울 수 있어요.

제주에서 가장 아름다운 요정의 계곡

"군산오름의 정상은 힘들지만
정상의 경치를 보면 도리어 새롭게 충전돼요."

RUN THE JEJU
47
· 코스 정보 ·

#안덕계곡 #군산오름 #트레일러닝

안덕   9.6km

- 난이도 상
- 러닝 시간 120분
- 워킹 시간 180분
- 주소 서귀포시 안덕면 감산리 346

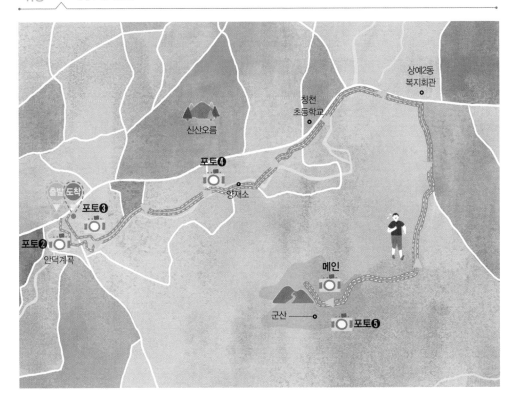

 안덕계곡입구 ▸ 양재소 ▸ 군산오름 ▸ 창천초등학교 ▸ 원점 복귀

COURSE TIP ●

<u>1</u>　안덕계곡과 군산오름 사이의 용천수, 양제소에서 잠시 쉬어도 좋아요.

<u>2</u>　군산오름으로 오르는 길에는 자유로운 야생 꿩을 만날 수도 있어요.

<u>3</u>　군산오름은 노을로 유명하지만, 낮에도 좋아요. 보이는 것들이 모두 생생해요.

CAUTION ●

<u>1</u>　안덕계곡 바위는 미끄러워요. 발 디딤에 주의해요.

<u>2</u>　안덕계곡은 천연기념물이에요. 그대로 있을 때가 가장 아름다워요.

<u>3</u>　바람이 많이 부는 날엔 군산오름 정상 바위에 오르는 것을 삼가해요.

<u>4</u>　군산오름은 차로 오를 수 있지만 길이 좁고 험해 운전에 미숙하다면 위험해요.

어제의 나보다 더 건강한 나를 만드는 **이희우 님**

제주에서 가장 아름다운 계곡으로 불리는 안덕계곡은 내려가는 길 마저 신비롭다. 마치 요정이 사는 숨겨진 마을처럼 온통 초록 풍경이다. 천연기념물로 지정될 만큼 보존 가치가 있으며, 새 소리와 잔잔한 물소리만 들린다. 호흡이 거칠다가도 평화로운 이곳에 들어서면 마음이 차분해진다. 우거진 나뭇가지 사이로 조금씩 보이는 안덕계곡의 모습에 발걸음이 조급해지기도 한다. 가까이서 주상절리도 확인할 수 있다. 안덕계곡을 지나면 곧바로 군산오름까지 이어진다. '굴메오름'이라고도 불리는 군산오름은 오름의 생김새가 군막과 비슷해 지어졌다. 이곳에 올라서면 모든 전경이 눈앞에 펼쳐지는데 특히 사방이 트여 있어 일출과 일몰이 장관이다. 군산오름 곳곳에는 진지동굴도 볼 수 있어 아픈 역사를 품는 다크투어의 현장이다.

안덕계곡과 군산오름을 달리는 이희우 님은 서울과학기술대학교의 러닝크루 'STRC'의 크루장이다. 어릴 때부터 다양한 운동을 좋아했지만, 대학생이 되고서야 러닝을 시작했다. 대학교 1학년, 기대와는 다른 대학 생활과 학업에 지쳐 있을 때 우연히 학교 트랙을 달리는 사람들을 보았다. 처음 보는 사람들이었지만 마음과 몸 모두 건강한 사람이라 느껴졌고 그들의 열정이 부러워 러닝을 시작하게 되었다. 달리다 보니 지금은 어느새 크루장이 되었다. 인생의 전환점은 언제, 어떻게 찾아올지 모른다. 군산오름의 정상처럼 가장 힘들 때 새로운 에너지가 생겨나기도 하고, 그처럼 무기력할 때 새로운 열정이 생겨날지 모른다. 지금 바로 러닝이 보내오는 여러 '시그널'을 놓치지 말자.

놀멍   LET'S ENJOY

난드르커피   당고가 올라가 쫄깃하고 달콤한 감성 카페

제주의 옛 가정집을 리모델링하여 아기자기하게 꾸민 감성 카페. 특히, 시그니처인 '레드빈 라떼'는 단팥과 우유 크림이 들어간 라떼 위에 당고가 올라가 있어 크림과 함께 찍어 먹으면 쫀득쫀득하면서도 달콤해 절로 기분이 좋아진다. 여기에 에스프레소 한 샷을 추가하면 풍미는 배가된다. 블루리본 인증을 받은 커피이기도 하며 감각적인 디자인 덕에 곳곳이 포토존이다.

◎ 서귀포시 안덕면 덕수동로 27   ☎ 010.2068.6375

안덕계곡   신들이 만들고 요정이 사는 계곡

천연기념물 제377호로 지정된 안덕계곡의 상록수림지대는 오래된 나무와 기암절벽이 병풍처럼 둘러 있다. 그리고 평평한 암반 위로 맑은 물이 흐르며 신비로움을 자아낸다. 밤이면 입구에서 폭포까지 들어가는 길에 불빛이 밝혀져 더욱 운치 있다. 계곡에는 무려 300여 종의 희귀식물뿐 아니라, 난대림의 원식생이 있어 가치가 높다.

◎ 서귀포시 안덕면 감산리 1946   ☎ 064.794.9001

Editor's TIP 군산오름 정상은 붉은빛을 띠는 화산송이로 이루어져 있어요. 붉은색과 대비되는 착장을 하고 사진을 찍으면 인상적인 사진이 완성돼요.

용이 헤엄치는 바다

"달리는 곳곳이 뷰 포인트이자
런생샷 명소예요."

RUN THE JEJU

48

· 코스 정보 ·

#용머리해안 #황우치해변
#화순금모래해변 #산방산 #산방사

용머리해안 6.3km

🏃 난이도 중

⏱ 러닝 시간 50분

⏱ 워킹 시간 90분

📍 주소 서귀포시 안덕면 사계리 166-4

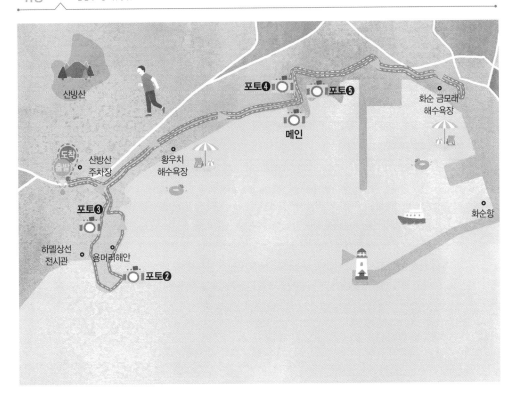

 산방산공영주차장 ＞ 용머리해안 매표소 ＞ 용머리해안 ＞ 화순 금모래 해변 ＞ 원점 복귀

COURSE TIP
1 용머리해안에서 해녀 할망이 직접 채취한 신선한 해산물을 먹어 보세요.
2 A, B, C 세 코스로 나뉜 '산방산 용머리해안 지질트레일'을 탐방해도 좋아요.
3 산방산 중턱에는 자연이 만든 산방굴사가 있어요. 함께 관람해 보세요.
4 금모래 해변의 캠핑장에서 캠핑을 즐길 수 있어요.

CAUTION
1 용머리 해안은 날씨와 해수면에 따라 자주 통제돼요. 문의하고 방문해요.
2 용머리 해안 곳곳은 바닷물이 남아 있어 노면을 살피며 주의해야 해요.
3 주말에는 관광객이 많아요. 속도를 줄이거나 걸어서 이동해요.
4 올레길10코스에는 숲이 우거져 있는 구간이 있어요. 머리 위의 나뭇가지를 조심해요.

사람과 소통하고 세상과 만나는 달리는 사진가 **최진성 님**

사진작가가 추천하는 러닝 코스는 어떨까? 사진을 잘 찍지 못하더라도 스폿마다의 런생샷을 건져 보자. 최진성 님은 이 책의 공동 저자이자 달리는 사진가이다. 그가 추천하는 용머리해안은 독보적인 풍광이 있는 곳으로 제주를 온전히 만끽할 수 있는 코스다. 산방산 주차장에서 출발해 좁은 통로를 따라 바닷가로 내려가면 용머리를 닮은 돌 해안을 만날 수 있다. 수천만 년 동안 층층이 쌓인 세월이 기묘한 조화를 이루며 웅장하고 경이롭다. 용머리해안을 지나 황우치 해안가를 달리다 보면 수풀에 둘러싸인 현무암 지대가 반긴다. 여행객에게는 많이 노출되지 않은 곳이어서 현무암이 드세고 되바라졌다. 원시적인 제주도의 모습을 품고 있어서 달리는 곳곳이 뷰 포인트이자 런생샷 명소다.

평소에도 사진에 관심이 많던 그는 2011년부터 달리는 러너들의 모습을 하나둘 카메라에 담다가 더 많은 장면을 담기 위해 심지어 마라톤 대회에도 카메라를 들고 달렸다. 결국, 마라톤 대회 사진 '1등'을 수상하며 본격적인 달리기 사진 생활을 시작했다. 러닝 사진을 잘 찍고 싶다면 평소에도 꾸준히 체력을 길러야 한다고 그는 말한다. 머뭇거리기보다 당장 사진기를 들고 평소 알고 싶었던 곳으로 떠나자. 자연스럽게 체력도 좋아지고 시야도 넓어질 것이다. 2021년은 그에게 러닝 사진을 시작한 지 꼭 10년이다. 처음의 마음을 기억하고 그간의 추억을 둘러보기 위해 러닝 사진전을 준비한다. 해수면 상승으로 점차 용머리해안의 면적이 좁아지고 있으니 머뭇거리기보다 더 늦기 전에 용머리해안을 달리자. 그리고 그 순간을 기억하고 추억하자.

놀멍   LET'S ENJOY

용머리해안   해안 절벽을 따라 바다로 들어가는 용

산방산 자락에 바닷속으로 들어가는 용의 머리가 보인다. 용의 머리가 물결치는 듯 단단하면서도 부드러운 곡선을 표현하는데, 뜨거운 마그마와 차가운 바닷물이 만나 강한 폭발을 일으킨 결과다. 용머리해안은 고귀함만큼 쉽게 볼 수 있는 것은 아니다. 해수면 상승으로 인해 용머리해안의 면적이 점점 좁아지고 있다. 기상 악화나 밀물 때에는 위험해 출입을 금지하니 방문 전, 확인은 필수다. 근처에는 조선이라는 나라를 서양에 처음으로 알린 네덜란드 선인, 하멜표류기념비도 있다.

◉ 서귀포시 안덕면 사계리 112-3   ☎ 064.760.6321
⑤ 입장료   성인 2,000원 어린이 및 청소년 1,000원

원앤온리   배산임수의 산방산 뷰 카페

카페 뒤로 보이는 산방산 뷰가 장관이다. 야자수와 함께하는 모습은 마치 영화에나 나올 법한 풍경을 만든다. 바로 앞에는 제주의 남쪽 바다가 있어 사방이 뷰 포인트가 된다. 카페 앞마당 공간이 넓어 야외에서도 커피를 즐길 수 있으며 주차 공간도 넓다. 인테리어 또한 제주 감성답게 돌담으로 이루어져 있다. 커피 외에도 다양한 브런치와 디저트를 판매한다.

◉ 서귀포시 안덕면 산방로 141   ☎ 0507.1323.6186

 Editor's TIP 용머리해안은 검은 현무암으로 되어 있어요. 검은색의 옷보다는 사진 작가님처럼 밝은 색의 옷을 입으면 안전에 대비할 수도 있고 보색대비로 인해 사진도 더 잘 나오겠죠?

가파도 서귀포시 대정읍
문명의 이기를 이겨 낸 초록 향연

"낮잠 자기 좋은 섬에서
청보리와 함께 여유로운 달리기를 즐겨요."

RUN THE JEJU
49
· 코스 정보 ·

#가파도 #청보리밭 #청보리축제 #가오리

가파도   5.5km

◍ 난이도   중

◎ 러닝 시간   40분

◎ 워킹 시간   80분

◉ 주소   서귀포시 대정읍 가파리 241

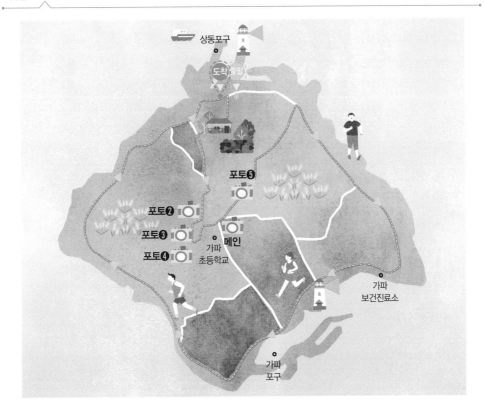

 상동포구 ⟩ 소망전망대 ⟩ 가파초등학교 ⟩ 올레길 1C-1 코스 ⟩ 원점 복귀

COURSE TIP

1 가파도에서 가장 높은 소망 전망대에 올라 한라산 설문대 할망에게 소망을 빌어요.

2 특이한 모양의 돌하르방 포토 스폿에서 가파도의 추억을 만들어요.

3 가파도는 낮잠 자기 좋은 섬이에요. 여유를 갖고 러닝 후 낮잠을 즐겨요.

4 청보리 축제가 열리는 4월에 방문하면 가파도의 매력을 200% 즐길 수 있어요.

CAUTION

1 선착장에서 배로 10분이면 가파도에 도착해요.

2 돌과 방풍은 이곳에 남겨 둬요. 모든 자연은 제자리에 있을 때 가장 아름다워요.

3 청보리는 지역 주민의 생계 수단이에요. 개방된 곳 외의 지역은 들어가지 않아요.

제주에서 만난 젊은 청년 **이종해, 임경진, 김윤섭 님**

가파도는 대한민국 유인 섬 중, 해발고도 20.5m로 가장 낮은 섬이다. 오르고 내리는 올레길과 다르게 평탄한 지형 덕에 쉼을 주는 섬이다. 숨이 차거나 땀 흘릴 일이 없다. 보리밭 사이를 요리조리 달리다 보면 기분도 바람과 함께 일렁인다. 낮은 해발고도 덕에 바다 위를 걷고 달리는 기분이다. 어느새 청보리와 물아일체가 되면 보리가 만들어 내는 청아한 잎 소리와 함께 맑은 영혼이 물들어 가는 듯하다. 또한, 마을은 거대한 행위예술 같다. 낡은 선풍기 팬으로 해바라기 군락을 만들기도 하며 짝 잃은 목장갑에 다육이를 심어 돌담 사이에 생명을 불어넣는다. 단조로운 벽엔 뿔소라로 화려함까지 더한다. 모든 꽃밭 안에서 사진을 담을 수 있는 것을 아니지만 사진 촬영이 가능한 곳은 "밭에 들어가도 됩니다. 유채꽃에 묻혀 추억을 남기세요."라는 푯말이 있을 정도로 가파도만이 건네는 관광객에 대한 따뜻한 배려다.

고향은 서로 다르지만, 제주의 러닝크루JEJURC에서 만난 이들은 가파도를 달린다. 세 명의 러닝메이트는 모두 달리기를 우연히 시작했지만, 지금은 운명이 되었다. 임경진 님은 말한다. "모든 러너에겐 처음이 있다." 달리기를 걱정하지 말 것. 문밖으로 나가는 것이 가장 힘들지만, 막상 한 발자국만 디디면 달리기의 즐거움은 배가된다. 김윤섭 님은 말한다. "뛰어 보니 별거 아니네." 시작 전에는 두려움이 온몸을 감싸지만 시작하면 별거 아닌 것. 이종해 님도 말한다. "가파도는 청춘이다. 4월의 청보리도 한때이듯 간직할 수 있는 가파도도 한때이다. 이 순간을 즐겼으면…." 청춘을 즐기고 싶다면 그들이 안내하는 청보리밭을 달려 보자.

놀멍 — LET'S ENJOY

가파도 가장 먼저 봄이 오는 곳

운진항에서 가파도 선착장까지는 배로 15분. 짧은 시간에 초록빛 보리가 일렁이는 신비로운 마을로 이동할 수 있다. 하늘 위로 솟은 풍력발전기는 네덜란드의 풍차 마을 같기도 하다. 가파도의 보리가 유명한 이유가 있다. 조류와 바람이 거친 곳이라 겨울바람에 농사가 될 리 없을 터. 겨울바람을 이길 수 있는 유일한 작물은 보리였다. 그만큼 생명력이 강해 섬사람의 생활을 도와주는 생계 수단이다. 4월이면 다른 지역보다 일찍이 초록빛으로 물들어 청량한 느낌 가득한 곳에서 봄을 가장 먼저 맞이해 보자.

◉ 서귀포시 대정읍 가파리 276　☎ 064.794.7130

가파도 용궁정식 가파도 해풍이 키운 신선한 식재료

옥돔구이, 성게 미역국, 보말, 갓김치, 방풍, 톳 무침, 뿔소라장 등 21가지 찬이 나오며, 용궁정식의 80%는 가파도에서 생산되는 천연 재료로 해풍이 키운 음식이다. 가파도에서 직접 채취한 음식이기에 계절에 따라 찬이 변경되지만 건강한 찬은 언제나 제철 음식이다. 반찬 하나에 밥 한입 먹다 보면 어느새 밥 한 공기는 사라진다. 푸짐한 한 상을 보면 다음 배를 타고 싶을 정도로 머물고 싶어진다.

◉ 서귀포시 대정읍 가파로67번길 7　☎ 064.794.7089

 Editor's TIP

섬의 모양이 가오리를 닮았다 하여 제주 방언인
'가파리'를 사용해 가파도가 되었어요.

RUN THE JEJU

50

코스 정보

"어쩌면 짜장면을 가장
맛있게 먹는 방법일 수 있어요."

#마라도 #최남단 #짜장면

마라도   2.7km

- 난이도   하
- 러닝 시간   20분
- 워킹 시간   50분
- 주소   서귀포시 대정읍 가파리 600

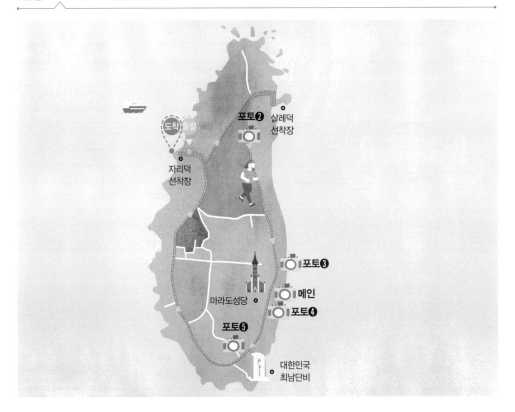

 자리덕선착장 ＞ 살레덕선착장 ＞ 마라도성당 ＞ 최남단비 ＞ 자리덕선착장

COURSE TIP

1　마라도 최남단비 앞에서 기념사진을 남겨요.

2　마라도에는 그늘이 없으니 모자를 쓰거나 선크림이 필수예요.

3　달리면서 내가 먹을 자장면의 위치를 미리 파악해요.

4　자전거를 대여해 두 발과 두 바퀴로 마라도를 달릴 수도 있어요.

CAUTION

1　선착장에서 배로 30분이면 마라도에 도착해요.

2　마라도의 매력에 빠져 있다 보면 배 시간을 놓칠 수 있으니 시간을 확인해요.

3　마라도는 섬 전체가 천연보호구역이에요. 쓰레기는 되가져가요.

달리기를 통해 탈출구를 맞이하는 **이지민 님**

대한민국 최남단, 마라도를 달리러 가는 길을 두 가지다. 운진항과 산이수동 방파제의 여객선에 몸을 맡기면 된다. 가장 남쪽에 발자취를 남긴다는 것은 배를 타는 30분 내내 설레게 한다. 타원형의 널찍한 섬이 마라도인데, 가파도와 마찬가지로 섬에 입항하면 반드시 2시간 뒤에 제주 본섬으로 돌아와야 한다는 아쉬움이 있다. 하지만, 마라도를 천천히 둘러보는 데 1시간 남짓이면 충분하다. 마라도 곳곳을 달리면 살갗에 흐르는 땀과 땀이 흐른 자리에 맞이하는 바람으로 마라도의 매력을 충분히 담아 갈 수 있다. 이것이 그리운 제주의 그곳을 다시 찾게 만드는 매력이다.

마라도를 달리는 이지민 님에게 달리기는 탈출구다. 달릴 때면 그녀를 괴롭히는 상념들로 인해 벗어날 수 있고, 잠시나마 안식을 준다. 달리는 동안에는 숨도 차고 포기할까 고민도 하지만, 달린 후의 그 기분을 잊지 못해 자꾸만 운동화를 찾는다. '달리기가 좋아서'보다 '달리면 좋아서' 그녀를 마라도까지 이끌었다. 마라도는 섬 전체가 푸른 잔디로 덮여 있어 마치 하나의 큰 초원을 달리는 기분이다. 가파른 절벽으로 만들어진 고도차는 시원한 바닷속으로 퐁당 빠지는 기분까지 느끼게 한다. 엄마와 함께 달리고 싶을 정도로 초보자도 무리 없는 자연의 코스이다. 한 번쯤 꼭 방문해야 할 대한민국 최남단, 마라도 방문을 더욱 특별하게 만들기 위해 러닝화를 신고 배에 오르자. 마라도 자장면을 더욱 맛있게 먹는 방법일 수도 있다.

놀멍 LET'S ENJOY

마라도 대한민국이 시작되는 곳

마라도는 대한민국 최남단이라는 상징뿐 아니라 생태계적·지정학적 큰 역할을 한다. 면적 0.3㎢의 작은 섬이지만 96종의 식물과 다양한 해양생물을 간직해 섬 전체는 천연기념물로 지정되었다. 섬은 한 나라의 영해 범위를 결정하는 중요한 요소인 만큼 우리나라의 가장 동쪽, '독도'처럼 소중한 존재임을 기억하면 더욱 의미 있는 여행길이 될 것이다.

◉ 제주 서귀포시 대정읍 가파리 600

철가방을 든 해녀 마라도에서 먹는 톳 짜장면

마라도 자장면의 대부분은 돼지고기 대신, 제주의 향을 살릴 수 있는 톳과 각종 해산물이 고명으로 올라가 있다. 철가방을 든 해녀 역시 톳이 자장 위에 올라가 있어 오독하고 달콤한 식감이 자장면에 활력을 더한다. 우리 동네에서 먹는 맛과 큰 차이는 없지만, 마라도에서 먹는 기분은 분명 큰 차이가 있다.

◉ 서귀포시 대정읍 마라로 85 ☎ 064.792.5262

Editor's TIP
마라도 여객선 선착장 근처에는 송악산이 있어요.
마라도 여행 전후로 시간을 내어 송악산까지 둘러보면 더욱 좋아요.

서남지역의 우뚝 솟은 자연 전망대

"사진을 잘 찍지 못해도
송악산이라면 멋진 사진을 담을 수 있어요."

RUN THE JEJU

51

· 코스 정보 ·

#송악산 #99봉 #분화구 #화산체화산
#일제동굴진지

송악산   3.5km

- 난이도   하
- 러닝 시간   40분
- 워킹 시간   70분
- 주소   서귀포시 대정읍 상모리 179-4

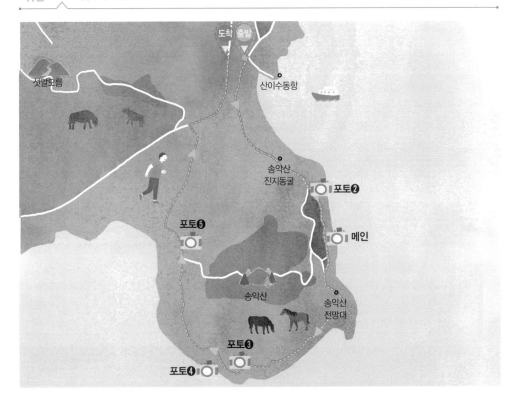

 송악산 잔디광장 ➤ 송악산전망대 ➤ 송악산 잔디광장

COURSE TIP

1. 한 바퀴가 아쉬우면 두 바퀴를 달려도 좋아요.
2. 4월은 유채꽃, 6월은 수국이 가득한 신비로운 송악산을 달릴 수 있어요.
3. 전망대가 보이면 그곳에 올라 주위를 둘러보고, 나 자신을 둘러보는 시간을 가져요.
4. 사진을 찍으며 달려요. 잘 찍지 못해도 송악산이라면 멋진 사진을 담을 수 있어요.

CAUTION

1. 길이 넓어 달리기 좋지만, 관광객이 많다면 조심히 피해 달려요.
2. 승마 체험을 위한 말이 놀라지 않도록 조용히 달려요. 말의 고삐는 생각보다 길어요.
3. 계단을 내려갈 때는 한 칸씩 조심히 내려가요.
4. 해안가라 바람이 많이 불어요. 바람에 모자와 선글라스가 날아가지 않도록 주의해요.

매일 새로운 이야기가 자라는 체육 선생님 **채수우 님**

송악산은 그 자체가 전망대다. 맑은 날이면 마라도부터 형제섬, 한라산까지 모두 조망할 수 있으며 손을 내밀면 가파도에 닿을 듯 가깝다. 송악산에 오르기 전까지는 그 너머에 무엇이 있을지 상상조차 할 수 없지만 약 500m 의 언덕을 지나면 다른 세상이 펼쳐진다. 섭지코지가 여성스러운 절벽과 파도의 조합이라면, 이곳은 남성스러운 강인함이 머문다. 깎아지를 듯한 절벽 아래로 부서지는 파도는 다양한 색깔로 살아 있는 느낌이다. 유채꽃과 해 안도로, 산과 숲길이 다양하게 어우러진 제주의 모습을 모두 만날 수 있고 큰 분화구가 먼저 폭발하고 그 안에 두 번째 폭발이 발생한 이중화산체의 모습도 함께 볼 수 있다. 지금은 최근 몇 년간의 많은 발길로 식생 복원과 자연환경 보호를 위해 송악산 정상으로 가는 탐방로를 일시 폐쇄하였다. 복원 상태에 따라 언제 송악산 정상의 경치를 다시 만나게 될지는 미지수지만 하루빨리 정상까지 달려 볼 수 있기를 바란다.

이곳을 달리는 채수우 님은 7년째 아이들에게 체육을 가르친다. 그는 아이들에게 늘 좋은 영감을 주기 위해 매 번 새로운 목표를 계획하고 활기 있는 선생님을 목표로 하는데 그 일환으로 종종 시간을 내어 휴식기를 갖곤 한 다. 특히, 이번 휴식 기간 동안은 국내에서 국토종주와 장거리 달리기 및 산악 마라톤 등 다양한 계획을 갖고 있 다. 연습을 위해 제주도 한 바퀴를 4일간 완주하고, 매일 산을 오르며 몸과 마음을 충전 중이다. 새롭게 충전한 에너지와 이야기들로 아이들을 만날 날을 기다린다. 송악산의 일정한 휴식기가 지나면 풀과 나무가 무성하게 자 라듯, 송악산을 달리는 우리의 인생도 휴식기가 지나면 지혜와 활기가 무성해지리라 믿는다.

놀멍 LET'S ENJOY

송악산 2개가 분화구로 만들어진 화산체화산

보통은 비디기 산을 둘러싸지만, 이곳은 산이 비디를 둘러싸고 있는 느낌이다. 파도가 잔잔하든 거칠든, 우직하게 서 있는 절벽은 절경이다. 송악산 둘레길은 해안을 따라 정상까지 보행도로가 있고 정상까지 여러 작은 갈림길이 있다. 그리 고 99개의 크고 작은 봉우리로 인해 '99봉'이라 부르기도 한다. 송악산 둘레길을 따라 오르면 궁금증이 드는 커다란 구멍이 보인다. 꽤 깊고 넓으며 한둘이 아니 다. 얼핏 보면 저장 창고 같아 보이지만 일제동굴진지다. 일본군의 군사 시설로, 해상으로 들어오는 연합군 함대를 공격을 위해 만들어진 다크투어의 현장이다.

◉ 서귀포시 대정읍 상모리 179-4 ☎ 064.784.9446
🔎 http://ramsar.co.kr/

송악산 화덕피자

제주 흑돼지와 진복, 딱새우가 토핑된 피자

형제섬피자가 대표 메뉴로 제주의 풍부하고 다양한 맛을 느낄 수 있는 반반 메뉴이다. 한쪽은 흑돼지가 토핑으로 올라가 있고, 다른 한쪽은 전복과 한치, 그리고 딱새우가 있는 해물 가득한 피자다. 제주답다는 말이 잘 어울리는 피자. 게다가 크림소스와 넉넉한 치즈는 입안 가득 풍미 를 만들어 준다. 쌈촹 피자도 인기다.

◉ 서귀포시 대정읍 송악관광로 392 ☎ 064.792.4758

Editor's TIP 송악산의 정상부는 자연휴식년제로 2022년 7월까지 출입이 제한돼요.
제1전망대로 가는 1코스와 2코스만 일부 개방되는 구역으로 탐방을 할 수 있어요.

제주 4·3을 간직한 다크투어

RUN THE JEJU

52

· 코스 정보 ·

#알뜨레비행장 #제주4.3 #섯알오름 #다크투어

알뜨르　　7.3km

"기억하지 않은 역사는
되풀이된다."

📊 난이도　하

🎯 러닝 시간　50분

🎯 워킹 시간　100분

📍 주소　서귀포시 대정읍 상모리 1629-8

258

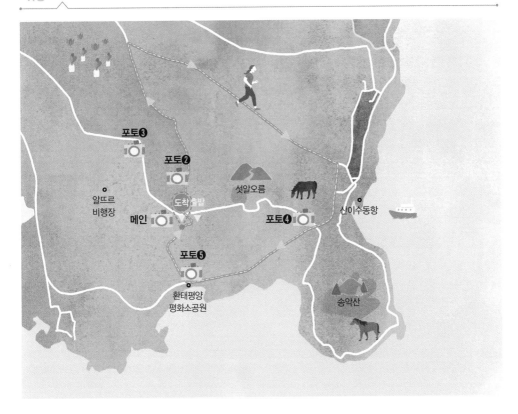

 4·3유적지 섯알오름 학살터 주차장 > 알뜨르비행장 > 송악관광로 > 원점 복귀

COURSE TIP

1 다크투어의 의미를 살린 4.3㎞ 달리기도 역사를 기억하는 방법이에요.

2 종종 거대한 트랙터가 출몰해요. 속도가 너무 느리니 앞질러 달리는 것을 추천해요.

3 신나게 달리는 것보다 역사를 간직하고 생각하며 달려요.

CAUTION

1 바람이 많이 부는 지역이라 바람막이나 겉옷을 입어요.

2 모자가 날아가지 않도록 주의해요.

3 가로등이 없어서 저녁에는 어두울 수 있어요. 해가 지기 전에 달려요.

달리는 해양경찰 문슬기 님

제주 4·3은 가슴 아픈 역사이다. 잊히고 싶지 않기에 가슴 아픈 역사를 더 알리고 싶다는 문슬기 님은 제주 4·3을 담고 있는 알뜨르비행장을 달린다. 이 코스는 예쁜 풍경보다는 우리의 역사를 새길 수 있는 의미 있는 달리기다. 2차 대전 당시, 일본군들이 제주도민을 강제 동원해 만든 전투기 격납고로 비둘기를 손에 든 소녀상이 굳건히 서 있다. 평화를 소망하는 비둘기처럼 알뜨르비행장 코스를 달리는 내내 숙연한 마음이 절로 든다. 드넓은 활주로였던 이곳은 콩과 감자, 배추를 심는 밭이 되었지만, 당시 건설된 20여 개의 격납고와 탄약고 터 등은 아직도 고스란히 남아 있다. 그 모습을 바라보며 밭을 일구고 삶을 이어 나가야 하는 주민분들의 마음을 헤아릴 수 있을까? 알뜨르비행장을 크게 한 바퀴 돌아 다시 돌아오는 길은 송악산 둘레길과 만난다.

러닝의 장점 중 하나는 역사를 기억하는 방법이 된다. 4월 3일이면 알뜨르비행장에서 4.3㎞를 달리는 문슬기 님은 러닝크루를 시작한 지 어언 4년. 그녀에게 과거 러닝은 그저 헬스장에서 하는 유산소 운동에 불과했지만 지금은 다르다. 의미 있는 발걸음이 모여 하나의 러닝 문화가 만들어지면 한 명의 일상을 바꾸고, 더 멀리 바다 건너 육지 러너의 일상까지 바꿀 수 있을 거라 생각한다. 유독 바람이 많이 부는 알뜨르비행장. 거센 바람처럼 아프지만 잊으면 안 될 역사이기에 모든 러너가 기억하고 간직하기를 그녀는 바란다. 의미 있는 제주 여행을 하고 싶다면 그녀와 함께 달리자. 문은 늘 열려 있고, 누구나 오늘이 처음이어도 달릴 수 있다.

놀멍 LET'S ENJOY

알뜨르비행장 알뜨르비행장

'아래 벌판'이라는 예쁜 말을 품고 있지만, 절로 마음이 숙연해지는 다크투어리즘의 현장이다. 이 비행장은 일본이 중국 본토를 습격하기 위해 만든 전진기지로 제주도민을 강제 동원해 건설했다. 현재 제주국제공항으로 사용되고 있는 정뜨르비행장과 더불어 대표적인 일제의 군사 시설이다.

◉ 서귀포시 대정읍 상모리 1670

올랭이와 물꾸럭 오리와 문어의 얼큰한 만남

'올랭이'는 오리의 제주 방언, '물꾸럭'은 문어의 제주 방언이다. 오리와 문어를 주재료로 해서 얼큰하게 조리하는 전골 한식당으로, 국물이 진하고 맛있어 보양식 같기도 하다. 몸에 좋은 신선한 식재료만 냄비 넘치게 담은 덕에 운동 후 먹으면 몸과 마음이 절로 건강해지는 느낌이다. 특히, 자연산 방풍나물 장아찌와 함께 먹으면 입안 가득 짜릿한 침샘이 절로 고인다.

◉ 서귀포시 대정읍 신영로 93-5 ☎ 064.794.502

2

3

5

Editor's TIP

제주 4·3에 대해 더 많은 정보를 알고 싶다면 제주시에 있는
제주 4·3 평화공원 jeju43peace.or.kr을 방문해 보세요.

4

출처 : 나현흠

제주 4·3 우리가 기억해야 할 진실

1947년, 3·1절 행사 당시 기마경찰의 말발굽에 한 아이가 다쳤다. 하지만 다친 아이를 조치 없이 지나치자 군중들은 항의하기 시작했고 무장경찰은 군중을 향해 총을 쏘았다. 제주 4·3은 3·1절 행사가 도화선이 된 것이다. 이 일을 시작으로 1948년 4월 3일부터 무려 7년여에 걸친 민중 항쟁이다. 그 결과, 약 3만여 명의 무고한 사람들이 무력에 의해 희생되었고 터를 잃었으며 한국현대사에서 한국 전쟁 이후로 가장 큰 인명 피해를 입었다. 현재는 진상규명을 통해 '4·3 희생자 추념일'이 지정되었고, 처절했던 역사적 삶을 추념하기 위한 제주43평화공원도 제주시에 세워졌다. 여전히 그 아픔은 제주 곳곳에 쓰라리게 담겨있다. 우리가 기억하고 잊지 말아야 할 진실이다.

제주시 한경면 **차귀도**
서광에 드러난 노을의 언덕

"해 지기 한 시간 전에 출발하면
노을과 함께 낭만적인 달리기를 할 수 있어요."

#생이기정 #올레길12코스 #수월봉
#노을 #차귀도

생이기정   3.8km

- 난이도   중
- 러닝 시간   40분
- 워킹 시간   90분
- 주소   제주시 한경면 한경해안로 144

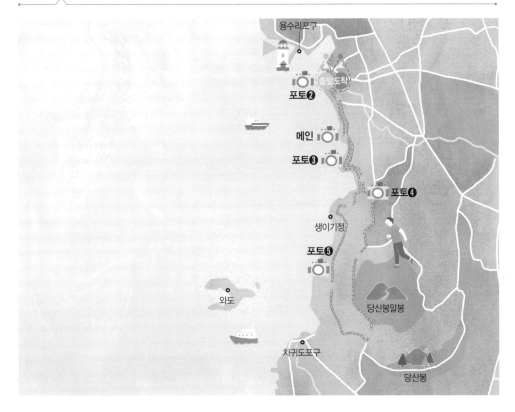

 용수리포구 개방화장실 ＞ 생이기정 ＞ 올레길12코스 ＞ 수로길 ＞ 원점 복귀

COURSE TIP

1 오징어와 준치를 말리는 용수포구 풍경이 이색적이에요.

2 오른쪽으로 차귀도와 와도라 불리는 누운섬이 보여요. 아는 것이 힘!

3 해 지기 전에 달리고, 달리기 후에 노을 사진을 찍어요.

4 시간이 허락한다면 올레길12코스로 들어가는 정자에 앉아 파도 소리를 들어 보세요.

CAUTION

1 안전을 위해 지정된 주로와 탐방로를 달려요.

2 물에 젖은 낙엽이나 솔잎은 미끄러울 수 있으니 착지 시 조심해요.

3 봄과 가을에는 뱀을, 여름에는 물가 위로 올라온 작은 게들을 조심해요.

4 뜨는 해보다 지는 해가 더 강한 법이에요. 선크림을 꼼꼼히 발라요.

제주의 노을을 담는 사진가 **나현흠 님**

달리기와 사진. 두 가지만 있으면 남부럽지 않은 나현흠 님이지만 점점 바빠지는 회사 업무로 좋아하는 두 가지를 하지 못하니 자연스럽게 스트레스만 쌓여 갔다. 많은 고민과 여러 번의 답사 끝에 1년간의 제주살이를 하게 된 그. 그야말로 안식년이다. 일과는 단순하면서도 알차다. 나만의 포토 스폿 발견하기와 그곳에서 달리기. 때론 한 달에 여섯 번 이상 같은 시간대와 장소를 방문해 계절의 변화를 카메라에 담기도 한다. 특히 노을 사진을 좋아하는 그의 비밀 노을 러닝 코스를 소개한다.

생이기정은 제주의 서쪽 끝에 있다. 이곳은 한가로운 제주의 옛 모습을 그대로 간직한다. 뚜렷한 관광지가 없다 해서 볼거리가 없는 것은 아니다. 파도치는 절벽의 올레길12코스가 이곳에 있다. 코스의 첫 시작은 오르막이지만 언덕을 조금씩 올라갈 때마다 보이는 섬들은 발걸음을 멈추게 하고 카메라를 들게 한다. 반환점을 돌면 계속해서 펼쳐지는 내리막은 나의 기분을 가볍게 만들어 준다. 특히나 생이기정 뒤 수로길은 여느 돌담길과 다르다. 마치 나를 위한 모세의 기적이 펼쳐지는 듯 돌담이 나를 포근히 감싼다. 떠오르는 해가 주는 감동도 있지만 지는 해가 주는 감동도 있다. 마무리를 잘해야지만 또 다른 내일의 해를 맞이할 수 있는 것처럼 오늘 하루를 통째로 버린 것 같아 우울할 때면 이곳을 달려 보자. 하루의 마무리만 잘해도 기분이 나아진다. 고생한 나에게 생이기정 달리기를 통해 새로운 감동을 안겨 주자.

놀멍 LET'S ENJOY

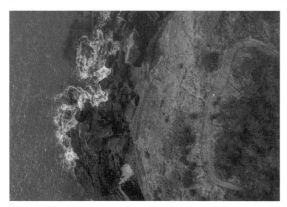

생이기정 올레길 새와 절벽이 어우러진 사색 길

용수리 절부암에서 차귀도 쪽으로 올라가면 생이기정으로 들어가는 올레길이 보인다. 작은 입구 탓에 지나칠 수 있지만, 올레길을 표시하는 파란 조형물을 찾으면 된다. 새와 절벽을 뜻하는 생이기정 이름 그대로 웅장한 절벽이 먼저 눈에 들어온다. 그리고 이내 눈길을 사로잡는 것은 요리조리 춤을 추는 작은 새들이다. 이 언덕과 코너를 돌면 어떤 모습일까 하는 기대감이 이상한 나라의 앨리스처럼 나를 동화 속으로 안내하는 것 같다.

◉ 제주시 한경면 용수리 4289-3

차귀놀 차귀도 바닷가가 바로 보이는 뷰 카페

제주 가정집을 닮은 인테리어와 차귀도의 노을을 연상시키는 카페 이름이 낭만적이다. 2층에는 전망대도 있어 노을의 처음과 끝을 지켜볼 수 있다. 제주에서 가장 오래도록 노을이 머무는 곳. 시그니처 음료인 '차귀놀 에이드'를 마시며, 생이기정의 노을을 오래도록 감상하자.

◉ 제주시 한경면 한경해안로 136 ☎ 064.773.1578

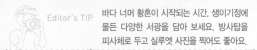

Editor's TIP
바다 너머 황혼이 시작되는 시간, 생이기정에
물든 다양한 서광을 담아 보세요. 방사탑을
피사체로 두고 실루엣 사진을 찍어도 좋아요.

돌고래와 함께 달리기를

RUN THE JEJU

54

코스 정보

#수월봉 #엉알해안 #차귀도 #고산리 #일몰

수월봉　　10km

- 난이도　중
- 러닝 시간　90분
- 워킹 시간　150분
- 주소　제주시 한경면 고산리 3615-11

"유네스코에 등재된 세계지질공원이라
거대한 박물관을 달리는 기분이에요."

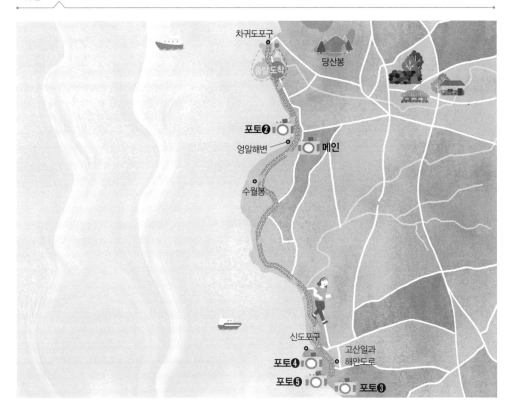

 차귀도 포구 ＞ 엉알해안 ＞ 수월봉 전망대 ＞ 신도포구 ＞ 원점 복귀

COURSE TIP

<u>1</u> 새벽엔 돌고래와 함께 달릴 수 있는 행운을 만날 수 있어요.

<u>2</u> 날이 좋을 때면 수월봉 정자에서 일몰과 월출을 동시에 볼 수 있어요.

CAUTION

<u>1</u> 러닝 코스에는 계단이 있어요. 오르고 내릴 때 조심해요.

<u>2</u> 비가 온 뒤의 흙길은 미끄러우니 특히 주의해요.

<u>3</u> 지질트레일은 세계지질공원이에요. 보존될 수 있도록 눈으로만 봐 주세요.

달리기로 온 세상을 눈에 담고 싶은 **최수지 님**

돌고래 떼와 함께 달리면 어떤 기분일까? 최수지 님은 수월봉을 방문했을 때, 아래에서 헤엄치는 돌고래를 만나는 행운을 얻었다. 그들과 함께 모닝런을 하는 상상에 넋을 놓고 한참을 바라보았다. 운이 좋으면 돌고래와 함께 달릴 수 있는 매력 만점의 코스를 소개한다. 차귀도 해적 잠수함에서 출발한 러닝은 약 2㎞의 엉알해안을 달려 수월봉까지 곧장 오른다. 짧은 구간이지만 유네스코에 등재된 세계지질공원이라 거대한 박물관을 달리는 셈이다. 제각각 다른 모양의 지질을 구경하면서 달리는 재미가 있으며, 곳곳의 퇴적층은 살아 있는 자연이다. 부드럽게 휘어진 곡선을 바라다보며 저 너머엔 무엇이 있을까 하는 궁금증으로 힘든 줄 모른다. 수월봉으로 이어지는 계단을 지날 때면 천국의 계단을 지나는 듯 신비롭고 아름답다. 드디어 수월봉에 오르면 지나온 길들이 내려다보이는데, 지는 해를 바라보며 하루를 돌아보기에 완벽하다.

그녀는 전 세계 러너들의 꿈의 무대, 뉴욕마라톤에 초청받아 완주했을 정도로 달리기와 여행을 좋아한다. 달리면 달릴수록 달린다는 것이 얼마나 큰 장점인지 그녀는 깨달았다. 달리기 전에도 여행을 좋아했지만 달리기를 시작한 뒤로 여행을 다닐 때면, 여행의 질과 시야의 폭이 훨씬 넓어졌다. 걷거나 차를 타고 다닐 때와 비교할 수 없을 만큼 많은 걸 보고 느낄 수 있기 때문이다. 그녀는 달리기로 온 세상을 눈에 담길 원한다. 평소의 체력 관리를 통해 느리더라도 10㎞는 거뜬히 달릴 수 있다면 훨씬 풍성하고 다채로운 나만의 여행을 만들 수 있다.

놀멍 LET'S ENJOY

엉알해안 자연이 만든 예술작품 따라 걷는 산책길

제주도의 서쪽 해안선을 따라 2㎞가량 이어지는 해안산책로로, 유네스코에 등재된 세계지질공원이자 올레길12코스에 속하는 지질 트레일이다. 수월봉의 화산 분출 당시, 분화구에서 나온 화산 분출물들이 얇은 단층으로 겹겹이 쌓여 약 70m의 거대한 벽이 된 퇴적층이다. 차의 통행이 없는 넓은 도로라 안전하게 산책할 수 있으며 무장애 구간도 있다. 바로 옆으로 보이는 차귀도의 낙조 트래킹은 빠질 수 없는 장관이다.

◉ 제주시 한경면 고산리 3653-3 ☎ 064.728.7973

미쁜제과 빵순이라면 가야 할 한옥 베이커리 카페

'미쁘다'는 '믿음직스럽다'의 순우리말로, 신선하고 건강한 음식을 만들겠다는 사장님의 마음이 담긴 이름이다. 형형색색의 특색 있는 빵이 많아 취향대로 고를 수 있으며 시그니처 음료병은 이곳만의 정성을 담고 있다. 좌식과 입식 등 다양한 자리가 마련되어 있으며 한옥 외부 정원에도 여유를 즐길 수 있는 자리가 많다. 저 멀리 바다가 보이기도 한다.

◉ 서귀포시 대정읍 도원남로 16 ☎ 070.8822.9212

Editor's TIP 일몰 1시간 전에 달리면 수월봉 낙조를 볼 수 있어요. 다만 너무 오래 감상하면 돌아오는 길이 어두울 수 있으니 주의해요.

바다 위의 뜬 풍차와 해안 산책로

"썰물 때만 달릴 수 있는
바다 위, 비밀의 산책길이 있어요."

#신창풍차해안도로 #싱계물공원 #벌내물공원

신창   4.4km

- 난이도 하
- 러닝 시간 40분
- 워킹 시간 70분
- 주소 제주시 한경면 신창리 1321

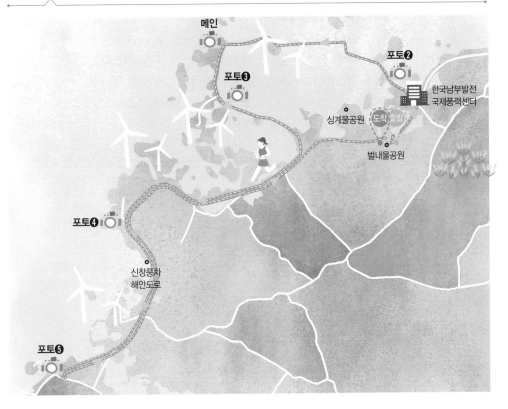

메인

포토②

포토❸

한국남부발전
국제풍력센터

싱계물공원

도착출발

벌내물공원

포토④

신창풍차
해안도로

포토❺

출발   벌내물공원 > 한국남부발전 국제풍력센터 > 한경해안로 > 원점 복귀   도착

COURSE TIP

<u>1</u>   낮에는 차가 많아 위험해요. 이른 아침이나 일몰을 보며 달려요.

<u>2</u>   썰물에 방문하면 비밀의 길이 드러나 해안 산책로를 달릴 수 있어요.

<u>3</u>   밀물에 방문하면 바닷속에 떠 있는 풍차를 만날 수 있어요.

<u>4</u>   산책로에 있는 전망대에 올라 해안도로의 전경을 눈에 담아요.

CAUTION

<u>1</u>   풍차가 있는 만큼 바람이 많은 지역이에요. 모자가 바람에 날아가지 않도록 주의해요.

<u>2</u>   여름철에도 거센 바람에 추울 수 있으니 겉옷을 항상 소지해요.

<u>3</u>   갓 물이 빠진 산책로는 미끄러우니 걸어서 이동하거나 조심히 달려요.

<u>4</u>   서쪽의 노을은 빛이 강해요. 선크림을 발라 주세요.

나 자신을 돌보기 위해 달리는 **장은실 님**

장은실 님은 요리책을 만드는 출판사의 편집장이다. 일 때문에 매일 음식을 곁에 두고 사니 운동이 절실했다. 그때마다 요가와 헬스 등 여러 운동을 했지만, 꾸준히 하기란 쉽지 않았다. 하지만 달리기는 달랐다. 해외 출장에서도 달리고 SNS에 기록 인증도 하는 등 달리기의 매력에 빠져 3년간 매일 달렸다. 그리고 철인 3종까지 완주하게 되었다. 감기 한번 걸리지 않는 건강한 몸이 된 걸 보면 일상 속 비타민이 확실하다고 그녀는 말한다. 제주가 고향인 그녀의 취미는 곳곳의 러닝 스폿을 찾아 달리기다. 동쪽의 해안도로에 비하면 인적이 드문 곳이지만 고즈넉한 가운데 최고의 풍경을 보며 달릴 수 있어 좋아하는 코스, 신창 해안도로다.

벌내물 공원에서 시작한 달리기는 해안도로를 따라 달린다. 썰물 때면 물이 빠져 바다 위 산책길을 1㎞ 더 달릴 수 있다. 주변의 풍력발전기와 공원 중간의 빛나는 물고기 조형물 또한 이색적이다. 특히, 늦은 오후에는 낙조가 아름답다. 음식점이나 카페가 없어 달리다 보면 유독 조용하다는 느낌에 평화롭고 자유로운 기분마저 든다. 바다와 풍차가 어우러진 이곳은 거센 바람만큼 몸도 마음도 시원하게 달릴 수 있다. 달리기는 몸을 건강하게 해주기도 하지만 정신을 풍요롭게 만들기도 한다. 마음이 지치거나 일상이 힘들 때면 나 자신을 이기기 위한 달리기가 아닌, 나 자신을 돌보기 위한 달리기를 해 보자. 화려하진 않지만 고즈넉하고 평화로워 고민을 바람에 날리기 좋은 곳이다.

놀멍   LET'S ENJOY

신창풍차해안도로   이국적인 풍경의 해상풍력단지

해안가를 따라 연결된 신창풍차 해안도로는 바다 위의 풍력단지다. 부드러운 곡선의 해안선과 흰 풍력발전기, 푸른 바다의 모습은 이국적이다. 바람 소리에 마음마저 덩달아 뻥 뚫린다. 바로 옆에 있는 싱계물싱계물은 '새로 발견한 용천수'라는 제주 방언으로 옛 목욕탕으로 사용되기도 했다. 썰물 시간을 맞추면 숨겨졌던 길들이 보이기도 한다.

◉ 제주시 한경면 신창리 1322-1 ☏ 064.787.2843

산노루   제주 말차를 활용한 작은 수목원 카페

제주 말차 전문 카페답게 흰 바탕에 짙은 녹색 포인트가 감각적이다. 곳곳의 푸르고 건강한 식물들은 이곳의 생기를 더한다. 말차를 활용한 각종 커피와 티, 파운드케이크를 맛볼 수 있다. 말차 가루도 판매하고 있어 집에서도 제주의 향을 느낄 수 있다. 깔끔하게 조성된 야외 정원은 포토존으로 손색없으며 신선한 공기와 함께 여유롭게 말차를 즐길 수 있다.

◉ 제주시 한경면 낙원로 32 ☏ 070.8801.0228

Editor's TIP

신창은 풍력발전기 사이에 원담들이 분포해 있어요. 원담은 바다에 돌담을 쌓아 밀물과 썰물을 이용해 물고기를 잡는 전통적인 어업 구조물을 일컬어요. 간조에 방문하면 선명한 원담을 만날 수 있어요.

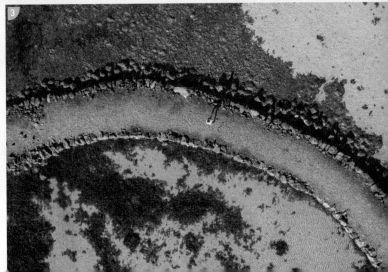

금능 제주시 한림읍
본연의 푸른빛을 담아낸 으뜸해변

휴식이 필요한 여행자의 한가로운 마을

RUN THE JEJU

56

· 코스 정보 ·

#금능해수욕장 #원담 #한림종합운동장 #트랙

금능   10km

"하트 모양의 원담에 발을 담가 보세요.

달리기 후 청량한 물을 마시듯 온몸이 시원해져요."

🏁 난이도   중

⏱ 러닝 시간   80분

⏱ 워킹 시간   140분

📍 주소   제주시 한림읍 한림중앙로 71-9

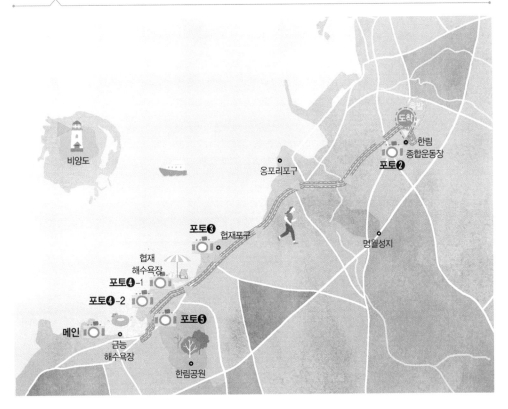

한림종합운동장 ＞ 협재해수욕장 ＞ 금능해수욕장 ＞ 원점 복귀

COURSE TIP

1 야영 캠핑장에서 캠핑을 하며 반대 방향으로 달려도 좋아요.

2 한림종합운동장의 트랙을 활용하면 조깅과 훈련이 가능해요.

3 작은 손수건을 챙겨요. 달리다가 해변에 발을 담그는 건 제주 달리기의 매력이에요.

4 매년 금능원담축제 기간에 방문하면 다양한 행사와 공연을 즐길 수 있어요.

CAUTION

1 그늘이 없어요. 선크림과 모자, 선글라스는 필수예요.

2 해수욕장 근처는 바람이 많이 불어요. 바람막이를 지참하면 좋아요.

3 해변에는 작은 조개와 돌이 많으니 물놀이용 신발을 착용하면 좋아요.

4 하트 모양의 원담은 옛 제주도민의 삶이에요. 훼손되지 않도록 주의해요.

전 세계 곳곳의 러너와 친구가 되는 **조샛별 님**

스스로 세웠던 목표를 하나, 둘 이루고 새로운 목표를 계획하던 조샛별 님은 간직했던 버킷리스트가 떠올랐다. 마라톤. 그녀에게 풀코스 마라톤은 언젠가 닿고 싶은 작은 꿈이었다. 그렇게 달리기를 시작했고 턱 끝까지 숨이 차오를 때면 비로소 달리기가 온전히 집중할 수 있는 시간이었음을 깨닫게 해 주었다. 퇴사 후 긴 유럽 여행에서는 첫 풀코스 마라톤을 베를린에서 완주해 버킷리스트를 이뤘고, 선물처럼 외국인 러너 친구들까지 생겼다. 인생을 '흐름'이라 생각하는 그녀. 머무는 것보다 떠나는 것이 어렵지만, 바다와 공기의 흐름처럼 시간의 흐름 속에 몸을 맡겨 달리면 그녀처럼 새로운 목표를 적고 있는 나를 발견할 수 있지 않을까.

금능은 그녀의 제주 여행 중 바닷물이 가장 맑아 로맨틱한 기억으로 남아 있는 곳이다. 한림종합운동장에서 출발해도 좋고 해수욕장에서 출발해도 좋다. 운동장을 지나 제주 마을을 달리다 보면 올레길14코스와 만나는데, 여유롭게 캠핑과 해수욕을 즐기는 여행객의 모습을 바라보며 달리면 나도 모르게 덩달아 포근해진다. 반환점에서는 발을 담가 보자. 온몸에 전율이 흐른다. 앞만 보며 달릴 필요는 없다. 오른쪽으로 비양도와 제주 원담이 보이는 것처럼 주위를 둘러보면 더 많은 것을 발견할 수 있다. 당신의 흐름은 잘 흐르는가? 그녀가 그랬던 것처럼 일단 부딪혀 인생의 흐름에 올라타 보면 새로운 터닝포인트를 만나게 될지도 모른다.

놀멍　LET'S ENJOY

금능해수욕장　야자수와 파란 바다가 조화로운 해변

협재해수욕장과 이어진 금능해수욕장은 파란 물감을 풀어놓은 듯 투명한 물과 흰 모래가 특징이다. 물이 맑고 수심이 얕아 가족 단위의 관광객이 많다. 현무암 사이로 고인 물은 나만의 작은 해수 풀장이 되어 준다. 해조류와 작은 보말은 물놀이 친구다. 단, 작은 조개와 돌이 많아 맨발은 위험할 수 있다. 바로 앞으로는 비양도가 보이는데, 그 아래로 지는 일몰은 잊지 못할 여행지를 만들어 준다. 온수 샤워실이 있어 더욱 편리한 해수욕을 즐길 수 있다.

◉ 제주시 한림읍 금능리 2037　☎ 064.728.3983

수우동　협재 바다와 함께하는 자작냉우동

튀긴 어묵과 반숙 달걀튀김이 들어간 냉우동. 쯔유와 함께 어우러진 레몬 향이 입맛을 돋운다. 냉우동 고유의 맛을 즐기다가 반쯤 먹었을 때 반숙 달걀을 터트려 노른자와 함께 먹으면 쯔유의 달고 짠맛이 부드럽게 중화돼 또 다른 맛을 낸다. 어묵튀김은 육수에 찍어 먹으면 맛있다. 창밖으로 보이는 협재 해수욕장은 하나의 액자 같아 먹는 내내 기분까지 좋다.

◉ 제주시 한림읍 협재1길 11　☎ 064.796.5830

2

4-1

Editor's TIP

물이 빠지는 간조 시간에 방문하면 금능해수욕장의 매력인 고운 모래를 만날 수 있어요. 어린이들의 자연 풀장이자 자연의 놀이터예요. 다만, 안전을 위해 아쿠아슈즈를 착용해요.

5

4-2

3

산정화구호로 비치는 금빛 석양이 아름다운

"말과 한우, 젖소와

함께 달릴 수 있어요."

#금오름 #성이시돌목장 #테쉬폰
#트레일러닝 #금악오름

금오름   8km

- 난이도 **중**
- 러닝 시간 **70분**
- 워킹 시간 **120분**
- 주소 **제주시 한림읍 금악동길 38**

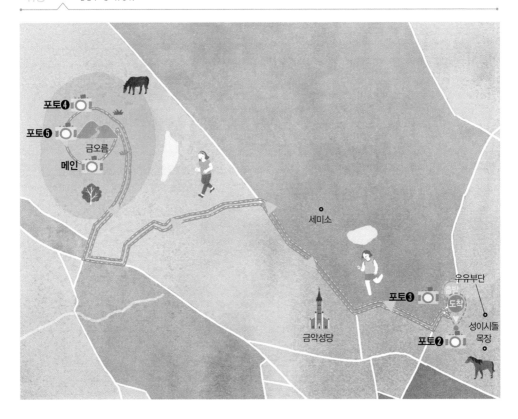

성이시돌목장　＞　금악성당　＞　금오름　＞　원점 복귀

COURSE TIP
1　근처의 성이시돌 센터에서 친절한 수녀님의 목장 역사 이야기를 들어 보세요.
2　금오름에서 패러글라이딩 체험도 가능해요. 오름을 색다르게 즐겨 보세요.
3　금오름은 노을 명소로도 유명해요. 해 질 녘에 올라 붉은 노을을 감상해요.
4　금오름 정상의 소원 돌탑에서 한 해 소원을 빌어 보세요.

CAUTION
1　보행도로가 없는 일부 구간도 있어요. 앞뒤 차량에 유의해요.
2　방목된 말은 앞에서만 예쁘게 바라봐 주세요. 뒤는 위험해요.
3　정돈되지 않은 흙길이라 흙이 묻어도 무방한 신발을 신어요.

달리기를 통해 뭐든 해낼 것 같은 자신감이 생긴 **원하늘, 김수진 님**

직장인 원하늘 님은 퇴근 후, 사람들과 어울리며 즐겁게 할 수 있는 운동이 필요했다. 무엇일까 생각해 보다가 SNS를 통해 러닝크루를 알게 되었고, 설렘을 안고 참가했다. 처음 달리기를 시작할 때는 고통이 밀려왔지만, 이왕 시작한 만큼 끝까지 달려 보고 싶어 눈 딱 감고 뛰어 봤더니 그녀에게 놀라운 세계가 펼쳐졌다. 주변 사람들의 응원과 칭찬도 큰 힘이지만 무엇보다 이제는 뭐든 해낼 수 있을 것 같은 자신감이 생긴 것이다. 달리기를 통해 하루하루 눈에 띄게 변하고 있는 스스로가 신기할 뿐이다. 가끔은 여전히 달리기가 힘들고 어렵지만, 어김없이 변하고 강해질 것을 알기에 오늘도 그녀는 더 열심히 달린다.

제주의 목장을 달리면 어떤 기분일까? 말이 된 듯 가벼워진 몸에 힘을 얻을 것만 같고, 또 넓은 초록 물결의 향연을 통해 힐링의 시간을 보낼 것도 같다. 자연을 달리는 기분을 명쾌하게 표현할 순 없지만, 온몸을 휘감아 긍정적인 생각만 품게 되는 건 분명하다. 금오름 달리기는 사진 명소로 알려진 이라크 건축 양식 테쉬폰에서 시작한다. 러닝은 목장 길을 따라 이어지다가 금오름의 정상에 오른다. 둔탁한 아스팔트길에 끊임없이 올라가야 하지만, 그 위에서 바라보는 절경은 그것을 견뎌 낸 사람들만 누릴 수 있다. 방목된 말, 목장에서 마음껏 뛰노는 한우와 젖소는 분명 이색 달리기 풍경임에 틀림없다.

우유부단 유기농 우유로 만드는 건강한 음료

우유를 메인으로 한 테쉬폰 바로 옆 카페로, 모든 우유 메뉴는 이시돌목장의 유기농 우유를 사용한다. 그래서 남녀노소 누구나 좋아하는 건강하고 깔끔한 맛이다. 더욱이, 유기농 풀을 사료로 사용하며 엄격한 유기농 원칙을 지키고 자유롭게 방목해 더욱 믿음직스럽다. 뒤로는 광활한 목초지가 펼쳐져 있어 목장을 바라보며 마시는 우유는 색다른 경험이다. 사진 촬영지로, 가족 나들이로 좋다.

◉ 제주시 한림읍 금악동길 38   ☎ 0507.1435.2052

금오름 신神이라 여긴 산정화구호와 일몰

'금악오름'이라고도 불리는 금오름은 '검, 감, 곰, 금'의 어원상 신神이란 뜻으로 예부터 신성시한 오름이다. 그만큼 신비로운 자태를 품고 있는데, 백록담과 마찬가지로 몇 없는 산정화구호다. 하지만 '왕메'라고 불리는 화구호는 아쉽게도 그 수량이 점점 줄어들고 있다. 금오름에 들어서면 입구부터 숲이 우거져 청량한 느낌이 한가득이다. 다양한 식생들이 자생하고 있으며, 정상에서 바라보는 경치와 능선 또한 아름답다. 발아래 펼쳐지는 녹초지와 방목된 자유로운 말을 바라보면 목가적인 풍경에 더 오래 머물고 싶은 곳이다.   ◉ 제주시 한림읍 금악리 산1-1

2

3

4

Editor's TIP

금오름 근방에는 원형의 테쉬폰이 여럿
남아 있어요. 테쉬폰을 발견하는 재미로
달리는 트레일러닝도 즐겨요.

5

서쪽 바다 위에 뜬 작은 제주

"작은 섬에 올라
제주 본섬을 바라볼 수 있어요."

RUN THE JEJU
58
· 코스 정보 ·

#비양도 #비양도등대 #비양봉 #펄랑못 #섬

비양도   4.7km

- 난이도 중
- 러닝 시간 40분
- 워킹 시간 70분
- 주소 제주시 한림읍 협재리 3032-3

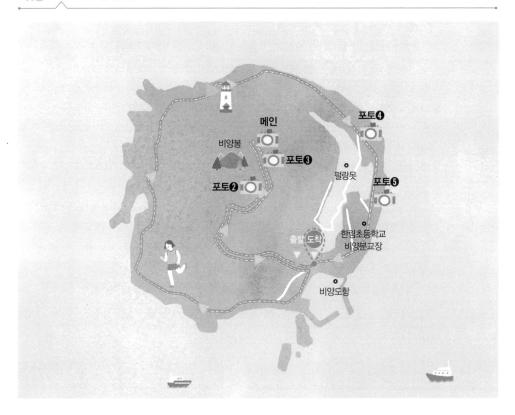

비양봉

메인

포토❸

포토❹

펄랑못

포토❷

포토❺

출발 도착

한림초등학교
비양분교장

비양도항

 비양도항 > 비양봉 > 비양도길 > 펄랑못 > 원점 복귀

COURSE TIP

1 비양봉에 다 오른 후에 뒤를 돌아보세요. 멋진 한라산이 펼쳐질 거예요.

2 비양도에 방문하기 위해서는 한림항도선 대합실에서 배를 타고 들어가요.

3 자전거로 비양도 한 바퀴를 둘러볼 수도 있어요.

CAUTION

1 선착장에서 배로 15분이면 비양도에 도착해요.

2 기상 상황에 따라 운항 시간이 변경될 수 있으니 미리 시간을 확인해요.

3 모든 섬에 들어갈 때는 신분증 소지가 필수예요.

4 '펄랑못'의 데크 길은 안전을 위해 걸어서 이동해요.

섬 속의 섬을 달리는 **권준경 님**

한림항에서 15분이면 도착하는 봉긋하게 솟은 섬, 비양도다. 정상에서 바라보는 제주 본섬과 한라산의 풍경이 빼어나 트래킹 코스로도 이름이 알려졌다. 권준경 님은 마라톤 동호회를 통해 마라톤에 참가하게 됐는데, 그 당시 응원을 받으며 달리는 즐거움을 처음 알게 되었다. 그래서 시작한 달리기가 어느새 3년이 되었다. 그녀는 달리면서 늘 궁금했다. 달리는 나의 모습을 멀리서 보면 어떤 느낌일까. 마치 비양도에서 제주 본섬을 볼 때의 느낌처럼 말이다. 가까이서 바라보면 보이지 않다가 멀리서 바라보면 제주의 모든 모습이 한눈에 보이듯 그녀는 제주를 멀리서 바라볼 수 있는 섬 속의 섬을 달린다. 자신을 벗어나 조금 멀리서 나를 객관적으로 바라보고 싶을 때면 시끄러움과 조금은 떨어진 비양도는 어떨까?

비양도 달리기는 비양봉을 오르는 것으로 시작된다. 대나무가 많아 '대섬'으로 불릴 정도로 대나무 터널이 우리를 반긴다. 저 너머엔 무엇이 있을까 하는 궁금증으로 없던 힘도 솟는다. 정상에는 흰 등대가 있는데 가장 높은 곳에 올라 제주 본섬을 바라보자. 기분이 색다르다. 마치 비행기에 올라 위에서 아래로 제주를 바라보듯 색다른 기분이다. 협재 해변과 한림항까지 한눈에 보인다. 그리고 비양봉을 내려와 해안 산책길을 따라 달리면 비양도에서만 만날 수 있는 독특한 암석들이 있다. 기둥처럼 물 위로 곧게 서 있는 암석과 코끼리 바위가 대표적인데, 살아 있는 지질 박물관이다. 차량이 지나지 않아 안전하고 고요한 길. 작은 섬에 올라 본섬을 바라보는 경험을 함께 느껴보자. 다시 돌아간 본섬에서 제주가 가깝게 느껴지는 것처럼 나에 대해서도 조금은 해답을 얻을지도 모른다.

놀멍 LET'S ENJOY

비양도 하늘에서 날아온 섬

제주도에는 5개의 섬이 있다. 그중 가장 늦게 생긴 섬으로 '날아온 섬'이라는 뜻의 비양도는 1002년 분출된 화산으로 생긴 기생화산이다. '펄랑못'이라는 우리나라 유일의 염습지도 있는데, 바닷물이 드나들어 염분의 변화가 큰 습지다. 밀물 때는 해수가 쌓이고, 썰물 때는 다시 담수호가 되어 시간에 따라 물의 높이가 다르다. 비양도는 다양한 식물이 자라고 철새의 보금자리가 되어 보존의 가치가 높다. 어류 또한 풍부해 낚시꾼들과 트래커들의 발길이 끊이지 않는다.

◉ 제주시 한림읍 협재리 산100-1

한림칼국수 본점 제주의 바다를 머금은 보말 칼국수

제주도 사투리인 바다고둥보말은 제주도 앞바다의 해조만 먹고 자라기 때문에 영양이 풍부하다. 보말 외에도 매생이와 잘게 다진 표고버섯이 더해져 고소하면서도 진한 국물 맛을 낸다. 이때, 무료로 제공되는 공깃밥을 추가하면 든든한 식사도 가능하다. 비양도로 가는 한림항이 바로 근처에 있어 이른 채비를 하는 여행객들에겐 든든한 아침 식사가 되어 준다.

◉ 제주시 한림읍 한림해안로 141 ☎ 070.8900.3339

Editor's TIP
제주도에는 두 개의 비양도가 있어요. 한 곳은 한림읍의 '비양도'이고,
또 다른 한 곳은 우도 속의 '비양도'예요. 헷갈리지 않도록 주의해요.

신비로운 풍경의 선인장 마을

#월령마을 #판포포구 #월령포구
#선인장군락지 #올레길14코스

월령   5.2km

"달리며 바라보는 선인장은

내게 인사를 건네는 것 같아요."

🏃 난이도   중

◎ 러닝 시간   40분

◎ 워킹 시간   80분

◉ 주소   제주시 한림읍 월령리 317-1

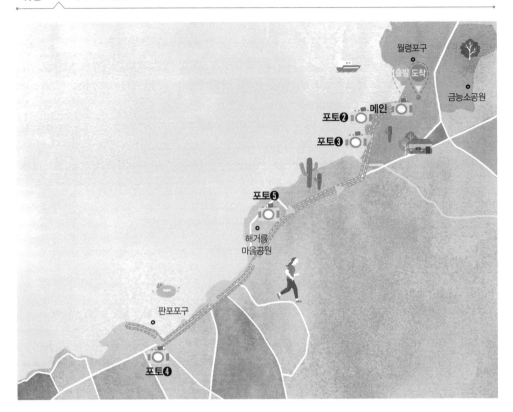

 월령포구 > 월령선인장군락지 > 판포포구 > 해거름마을공원 > 원점 복귀

COURSE TIP

1. 판포포구의 길 끝까지 달려 보세요. 왠지 모를 성취감이 느껴질 거예요.
2. 힘이 들 때면 저 멀리 풍차를 보며 달려요.
3. 판포포구는 스노클링이나 SUP 등의 물놀이 장소로도 유명해요.
4. 선인장마을 입구에서 백년초 음료를 판매하기도 해요. 러닝 후 시원하게 맛보아요.

CAUTION

1. 선인장이 예쁘다고 마음대로 뽑아 가거나 만지면 안 돼요!
2. 선인장 군락지에는 여행객이 많아요. 속도를 줄이거나 걸어서 이동해요.
3. 거친 현무암으로 인해 지정된 탐방로 밖을 벗어나는 건 위험해요.

작은 것에도 소소한 행복을 느끼는 **남궁유림 님**

일상에 지쳤다면 여유를 되찾고 충전할 수 있는 코스를 달려 보자. 한림읍 서쪽 끝에는 월령마을이 있다. 선인장 자생지로 유명해 많은 관광객이 찾는 곳이다. 월령포구에서 시작한 달리기는 선인장 군락지를 지나 판포포구까지 이른다. 월령포구는 많은 어선의 정박지와 낚시 포인트로 이용되고 있다. 협재나 금능에 비해 한적해 여유롭게 달리고 싶은 러너에게 딱이다. 바로 옆에는 손바닥 모양을 닮은 손바닥 선인장 군락지가 있는데, 현무암 위에 빼곡하게 자란 모습은 독특한 풍광이다. 올려다보아야지만 간신히 보이는 건물 사이의 하늘이 아닌, 바로 옆에서 만나는 바다와 하늘의 풍경이라 달리는 내내 편안하다. 반환점인 판포포구와 방파제를 따라 달리면 바다 위를 달리는 느낌에 곧 날아갈 듯 가벼워질 것이다.

남궁유림 님에게 달리기는 스트레스를 풀기 위한 소소한 발악이었다. 달릴 때만큼은 아무 생각 없이 나에게만 집중할 수 있어 그 순간이 너무나도 좋다. 월령 역시, 아무 고민 없이 달릴 수 있는 곳이라 좋아한다. 더욱이 제주에는 한라봉과 돌하르방 외에도 특별한 특산물, 선인장 군락지가 있다는 걸 알리고 싶다. 달리며 바라보는 선인장은 꼭 내게 인사를 건네는 것 같다. 그 기분이 궁금하다면 함께 달려 보자. 그녀는 소소한 일상 속 평범한 행복을 찾는 재미로 제주 곳곳을 달린다. 그녀를 따라 월령마을에서 나만의 소소하지만 특별한 행복을 찾아보자.

놀멍   LET'S ENJOY

월령선인장군락지   국내 유일의 백년초 자생지

올레길14코스를 따라 해안가를 걷다 보면 월령마을을 만나게 된다. 월령해안을 따라 천연기념물인 손바닥 선인장이 넓게 자생하고 있는데, 제주에도 이런 곳이 있나 싶을 정도로 아기자기하다. 선인장의 열매는 백 가지 효능이 있다는 백년초로 우리에게 잘 알려졌다. 피부 미용뿐 아니라 돌담 대신 바람을 막고 뱀의 침입도 막는 귀한 역할을 한다. 까만 현무암 사이로 4월은 붉은 열매가 달리고, 5월이면 노란 꽃이 만개해 계절에 따라 옷을 갈아입는다. 뒤로는 해안 풍차가 이국적인 경치를 더한다.

◉ 제주시 한림읍 월령3길 27-4

울트라마린   노을이 카페 한가득 담기는 뷰 카페

제주의 서쪽 바다가 한눈에 보이는 뷰 카페가 있다. 커다란 창은 해의 빛과 색을 그대로 담아 실내에서도 바닷가 앞에 앉아 커피를 마시는 기분이다. 이 카페의 진가는 2층에 올라야 느낄 수 있는데, 활짝 열린 개방감을 통해 바다를 배경으로 광활한 인생 사진을 남길 수 있다. 깔끔하고 모던한 인테리어는 커피 향에 더욱 집중되며, 다양한 디저트도 판매해 커피와 곁들여 먹을 수 있다.

◉ 제주시 한경면 일주서로 4611   ☎ 064.803.0414

Editor's TIP 해거름마을공원 놀이터에서는 땅따먹기, 오징어 등
추억의 놀이를 할 수 있어요. 달리기하다가 지치면
잠시 쉬었다 가요.

RUN THE JEJU

60

· 코스 정보 ·

#명월성지 #협재해수욕장 #쓰담달리기
#올레길14코스

협재   6.8km

🏞 난이도 **중**

◎ 러닝 시간 **50분**

◎ 워킹 시간 **100분**

◉ 주소 **제주시 한림읍 명월리 2237**

"달리며 쓰레기만 주워도 내가 지나온 길과
맑은 협재 바다가 더욱 빛을 내요."

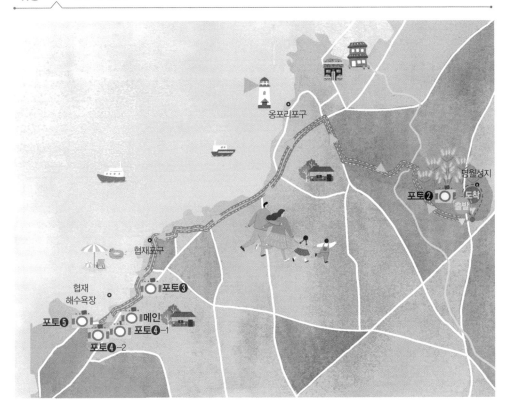

 명월성지 ▶ 옹포리포구 ▶ 협재포구 ▶ 협재해수욕장 ▶ 원점 복귀

COURSE TIP

1 석양이 예쁜 곳이에요. 노을이 질 때 달려 보세요.

2 바닷가를 따라 비치러닝도 좋아요. 물이 젖어도 모래알이 묻어도 신나요.

3 해변을 깨끗하게 가꾸는 쓰담달리기를 경험해 보세요.

4 봄이면 명월성지의 아래는 청보리밭으로 푸른 물결을 이뤄요.

CAUTION

1 어느 골목에서 차가 나올지 모르니 항시 차량에 주의해요.

2 명월성지에는 난간이 없어요. 낙상에 주의해요.

3 쓰담달리기를 위해서는 쓰레기봉투와 면장갑, 집게면 충분해요.

온 가족이 함께 쓰담달리기를 즐기는 **박태호, 송수정 님**

제주가 변함없이 그대로 머물길 누구나 원하고 바란다. 협재 마을에 사는 박태호, 송수정 님 가족 역시 한마음이다. 그들 가족은 쭉 서울에서 살았지만 어느 주말 아침, TV에 나온 제주도를 보며 아이들에게 자연을 느끼게 해 주고 싶었다. 그리고 그날 오전 10시, 훌쩍 제주 여행을 왔고 당일 오후 1시, 집을 계약해 버렸다. 여행한다면 이주를 하자는 마음이었다. 그래서 지금은 20가구만 모여 사는 협재의 작은 마을에 산다. 멋 내지 않아도 풍족한 지금의 생활이 너무나 만족스럽다. 구두를 신지 않아도, 다른 사람의 시선을 신경 쓰지 않아도 된다. 내면과 아이들에게만 집중하니 더욱 많은 사랑을 나눠 줄 수 있다. 아이들도 조금은 느리게 자랐으면 한다.

협재해변은 한 가지 색으로 표현할 수 없다. 흰색의 모래 바탕과 해가 빛내는 각도와 빛의 양의 따라 바닷가는 형형색색의 빛깔을 낸다. 바로 앞에 보이는 비양도까지 수심이 얕아 많은 물놀이객이 찾는 곳이기도 하다. 협재해변에서 출발한 달리기는 올레길14코스를 따라 마을 골목으로 이어지며 명월성지에 다다른다. 그들 가족은 쓰레기를 주우며 달리는 쓰담달리기플로깅, Plogging를 즐긴다. 여전히 지켜야 할 역사와 자연이 많아 집 앞의 산책길을 오래 아끼고 싶은 마음이다. 건강도 지키고 환경도 지키는 쓰담달리기는 스웨덴에서 시작해 전 세계적으로 퍼진 환경 운동으로 이삭을 줍는다는 스웨덴어 'Plocka upp'과 조깅의 합성어다. 내가 지나왔던 러닝 코스가 깨끗해지고, 그곳을 지나친 여행객도 더는 쓰레기를 버리지 않는다면 그것만으로 큰 변화는 시작된다. 이 모든 것은 미래를 살아갈 아이들에 대한 믿음과 아이들에 대한 사랑에서 비롯되었을 것이다. 해변이 아름다운 협재에서 쓰담달리기를 해 보자. 바닷가를 달리며 운동도 하고 우리가 사랑하는 제주를 오래 지키는 방법이다.

놀멍 LET'S ENJOY

명월성지 제주를 지키는 조선 시대의 성터

왜구의 침입을 막기 위해 만들어진 석성으로, 원래 나무로 만든 목성이었지만 훗날 견고하게 다시 쌓았다. 명월성지의 초루에 오르면 제주 앞바다가 훤히 내려다보인다. 이것이 명월성지의 역할로 당시 비양도에 정박한 왜구의 침입을 막기 위해 조금 높은 위치에 세워진 것이다. 성의 총 길이는 1.3㎞, 높이는 3m로 비장한 모습까지 느껴진다. 보수 공사를 끝마친 후라 돌담의 견고함과 멋스러움이 남아 있다.

🔹 제주시 한림읍 명월리 2237

온다정 협새의 따뜻한 집밥 요리

가정집을 개조한 듯한 협재 온다정은 흑돼지 맑은 곰탕만을 선보이며 따뜻함을 더하는 잔술도 함께 판매한다. 놋그릇과 고사리 밥, 그리고 한 쟁반에 정갈하게 담긴 찬들은 대접받는 기분이 든다. 푸짐하게 담긴 고기에 된장 멜젓 소스를 얹어 먹으면 감칠맛이 난다. 제주산 돼지고기와 모자반으로 육수를 내며 조미료가 첨가되지 않아 맛과 향이 건강하다.

🔹 제주시 한림읍 한림로 381-4 📞 0507.1461.9223

2

3

4-1

4-2

Editor's TIP

국립국어원은 플로깅Plogging의 대체 우리말로 '쓰담 달리기'를
선정했어요. 손으로 살며시 쓰다듬고, 쓰레기를 담는다는 의미도
있는 예쁜 우리말을 기억해 주세요.

5

구엄리돌염전 제주시 애월읍
영겁을 담아낸 원초의 소금빌레

밤하늘 샛별같이 우뚝 선 오름

#새별오름 #나홀로나무 #트레일러닝

새별오름   2.3㎞

"오름 전체가 풀로 부드럽게 덮여 있고
가을에는 억새가 장관을 이뤄요."

🏃 난이도   중

⊙ 러닝 시간   30분

⊙ 워킹 시간   50분

⊙ 주소   제주시 애월읍 봉성리 산 59-8

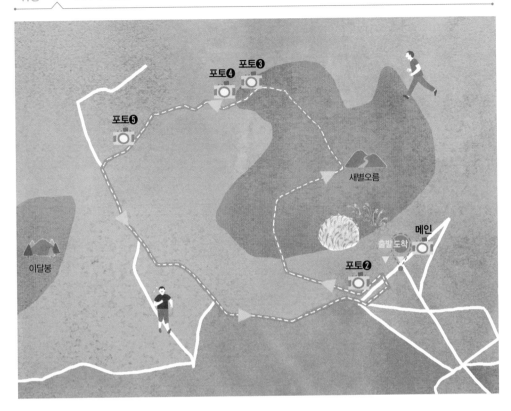

 새별오름 입구 > 새별오름 정상 > 이달오름 > 원점 복귀

COURSE TIP

<u>1</u>   높은 오름은 아니지만 완만하게 이어진 오르막이라 체력을 분배해 달려요.

<u>2</u>   모험을 좋아한다면 건너편 이달오름까지 도전해 보세요.

<u>3</u>   새별오름 주변의 다양한 푸드트럭에서 먹는 음식은 별미예요.

CAUTION

<u>1</u>   흙길이 있어요. 흙이 묻어도 무방한 신발을 신어요.

<u>2</u>   도로 옆을 지날 때면 항시 앞뒤 차량에 주의해요.

<u>3</u>   돌이 많은 구간도 있어요. 발 디딤에 유의해 발목 부상을 주의해요.

<u>4</u>   식수대가 없으니 미리 물과 간식을 챙기면 좋아요.

새로운 공간의 매력을 찾아 달리는 **윤상수, 김현우 님**

과거의 윤상수 님은 달리기가 싫어 자전거를 선택했다. 달려야 한다면 자전거가 훨씬 효율적일 것 같다는 생각이었다. 제주도는 그에게 단지 자전거 훈련을 위한 섬이었고, 두 발이 땅에 있던 시간보다 안장 위에 있던 시간이 더 많은 정도로 자전거 타는 것을 좋아했다. 그런데 주변 친구들이 러닝의 즐거움에 많은 이야기를 하니 조금씩 생각이 바뀌었고 고정관념이 깨졌다. 두 발로 땅을 박차며 오름의 끝까지 오르는 기분은 그에게 색다른 매력을 안겨 주었다. 그의 러닝메이트 김현우 님은 자전거를 통해 만난 동갑 친구다. 친구 덕분에 첫 러닝 입문은 성공적이다. 그의 첫 달리기를 도와준 새별오름을 소개한다.

평지보다 굴곡을, 포장된 길보다 흙이 묻어도 새로운 질감의 노면을 박차고 달리고 싶다면 추천하는 코스다. 새별오름은 서부 중산간 오름 중에 으뜸가는 대표 오름으로, 샛별과 같다 하여 이름 붙여졌다. 오름 전체가 풀로 부드럽게 덮여 있고 가을에는 억새가 장관을 연출하는데, 정상에 오르면 서쪽 해변과 비양도까지 보인다. 끝없이 펼쳐진 초원을 달리다 보면 다양한 생각들이 머릿속을 스쳐 지나가지만, 곧 초원의 바람에 의해 빠르게 정리된다. 그리고 이내 평화가 자리 잡는다. 혼자라면 사색의 즐거움을 느끼고, 친구와 함께라면 우리만의 색다른 추억을 남길 수 있는 다채로운 코스다. 새로운 공간과 새로운 코스에서 소소한 새로운 매력을 찾아 떠나 보자.

놀멍   LET'S ENJOY

새별오름 나홀로나무 이달오름과 새별오름 사이의 홀로 선 나무

넓은 들판 위에 나 홀로 나무가 우뚝 서 있다. 뒤쪽으로는 두 개의 오름이 보이는데 왼쪽은 이달오름, 오른쪽은 새별오름이다. 오름 사이에 균형미가 돋보인다. 맑은 날, 흐린 날 모두 나홀로나무만의 고요함을 풍기며 멋진 포토 스폿이 되어 준다. 특히 한겨울 눈이 소복이 쌓인 날이면 온통 흰 세상에 검은 나무만 우뚝 솟아 더욱 멋스러운 장관을 연출한다. 포토 스폿답게 늘 많은 사람으로 붐빈다.

◉ 제주시 한림읍 금악리 산30-8

웃뜨르우리돼지 흑돼지 맛집

위쪽 들녘이라는 제주도 방언 '웃뜨르'를 사용한 제주도 중산간 지대의 흑돼지 맛집. 다양한 고기 종류가 있어 입맛 따라 즐길 수 있으며 두툼하고 부드러운 제주 살코기는 제주 도민들도 찾게 하는 곳이다. 갖가지 찬은 고기의 풍미를 더하며, 흑돼지 김치찌개와 추억의 도시락까지 함께 먹으면 든든하고 건강한 상이 완성된다. 아이들을 위한 놀이방도 있어 여유롭게 식사를 즐길 수 있다.

◉ 제주시 한경면 연명로 2 ☎ 0507.1409.5993

2

Editor's TIP
새별오름과 이달오름 사이는 고운 화산송이 모래가 분포되어 있어요.
건조한 날에 찾아가면 역동적인 연출 사진을 찍을 수 있어요.

3

4

5

뒤를 돌면 한라산이 마주하는 곳

#족은노꼬메 #큰노꼬메 #오름
#트레일러닝 #항파두리항몽유적지

노꼬메오름 4km

⛰ 난이도 중

◎ 러닝 시간 50분

◎ 워킹 시간 90분

◎ 주소 제주시 애월읍 유수암리 산28-1

"반전이 있어요. 숲을 헤치고 빛이 안내하는 곳으로 나서면
놀라운 풍경이 펼쳐질 거예요."

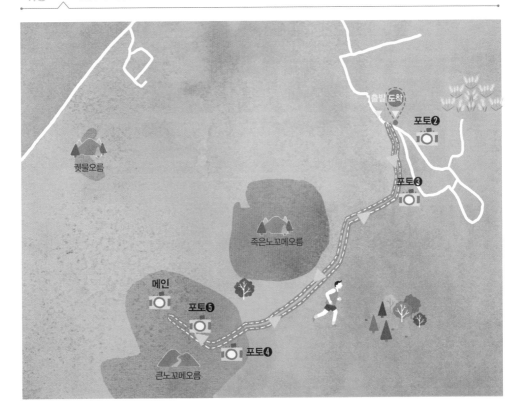

 족은노꼬메오름 주차장 > 큰노꼬메오름 > 원점 복귀

COURSE TIP

1 근처엔 바위틈에서 물이 솟는 궷물오름이 있어요.

2 가을이면 황금빛 억세도 눈에 담을 수 있어요.

3 큰노꼬메 주차장_{제주시 애월읍 소길리 산256-1}을 이용해 곧장 올라갈 수 있어요.

4 궷물오름부터 족은노꼬메오름, 큰노꼬메오름까지 연달아 트래킹을 즐길 수도 있어요. 거리 약 8.5km, 3시간 소요

CAUTION

1 가파른 오름이기에 충분한 스트레칭 후, 달리기를 시작해요

2 정상 부근은 눈이나 비가 오면 미끄러울 수 있으니 조심해요.

3 진드기가 있을 수 있으니 풀밭 위에 앉거나 옷을 올려놓지 마세요.

어머니의 산과 눈높이를 나란히 하는 최고의 아들 **장성택 님**

과거 사슴이 살았다 하여 '녹고산'이라 불리기도 하는 큰노꼬메오름은 크기가 작은 족은노꼬메오름이 형제처럼 나란히 붙어 있다. 두 개의 오름 사이로 난 평야 덕분에 정말 사슴이 살 정도로 조용하면서 신비롭다. 큰노꼬메는 경사가 가파르며, 족은노꼬메는 완만하다. 특히, 큰노꼬메오름은 말굽형 분화구로 제주도의 오름 중 화산 지형의 특징을 잘 나타내고 있다. 돌담을 따라 자연 속으로 뛰어 들어가면 삼나무가 반긴다. 나뭇잎 사이로 반사된 빛은 형광 연두를 떠올릴 정도로 투명하고 맑다. 오를 때면 금세 숨이 차지만 우거진 숲을 헤치고 빛이 안내하는 곳으로 나가면 놀라운 뷰가 펼쳐진다. 그리고 등 뒤로는 한라산과 마주한다. 도민들도 많이 찾는 자연의 생태계이자 보물창고다.

장성택 님은 어머니에게 살가운 아들이 되지 못해 늘 마음 한구석이 미안했다. 그런 그에게도 아들 된 도리를 할 수 있는 행복한 순간이 있다. 마라톤 대회에 출전할 정도로 운동을 좋아하는 어머니와 함께 시간을 보내는 것이다. 평소엔 많은 이야기를 나누지 못하지만 같이 운동할 때면 일상부터 회사 고민까지 나도 모르게 터놓게 된다. 어머니 역시 아들에게 이야기를 건네며 그간의 스트레스를 잊는다. 노꼬메오름은 시티런과 다르게 울퉁불퉁하고 가파르기도 하지만 나무와 진흙이 많은 만큼 많은 이야기가 얽혀 있다. 그렇게 어머니와의 추억이 가득한 곳이다. 그의 새로운 버킷리스트는 어머니의 또 다른 오랜 운동인 배드민턴을 배워 복식 경기에 도전하는 것이다. 그리고 이 책을 빌려 그간 하지 못한 말을 전하고 싶다. "어머니, 사랑합니다."

놀멍 LET'S ENJOY

항파두리 항몽유적지 나라를 지키는 이중 성곽

약 700년 전, 몽골로부터 나라를 지키기 위해 항파두리에 흙과 돌로 토성을 쌓았다. 6㎞의 외성 안에 다시 800m의 석성을 쌓아 이중 성곽의 모습을 갖고 있다. 방어 시설과 궁궐, 관아까지 갖춘 요새였으나 지금은 토성만 남았다. 고려의 마지막 항몽 세력인 삼별초가 최후까지 항전한 곳이기도 하다. 국가사적 제396호로 지정되어 있으며 전시관, 기념비와 함께 현재는 사시사철 다양한 꽃을 심어 제주도민과 관광객에게 나들이 명소가 되어 준다.

◉ 제주시 애월읍 항파두리로 50

아루요 참치회 덮밥이 맛있는 일본 가정식

요리대회 우승 경력의 셰프가 운영하는 일본 가정식으로 마구로 찌라시동이 대표 메뉴다. 숙성 참치와 함께 고추냉이, 무순이 올라가 있어 고소하면서 알싸한 감칠맛을 만든다. 한 입 먹으면 입안에서 사르르 사라질 만큼 부드럽다. 따뜻한 튀김 안에 폭신한 감자가 들어간 고로케도 맛있다. 당일 한정된 음식만 만들기에 재료 소진 시, 마감될 수 있다.

◉ 제주시 애월읍 유수암평화5길 15-8 ☎ 064.799.4255

 Editor's TIP

큰노꼬메오름을 오르는 계단은 매우 가팔라요.
잠시 쉬면서 뒤에 펼쳐진 한라산과 오름들을
바라보아요.

해안 따라 굽이치는 절경

RUN THE JEJU

63

· 코스 정보 ·

#애월해안도로 #구엄리돌염전
#소금빌레 #올레16코스

애월   6.8km

● 난이도   중

◎ 러닝 시간   50분

◎ 워킹 시간   100분

◎ 주소   제주시 애월읍 구엄리 608-1

●

"포구와 포구 사이를 달리면
등대를 목표 삼아 달릴 수 있어 시간 가는 줄 몰라요."

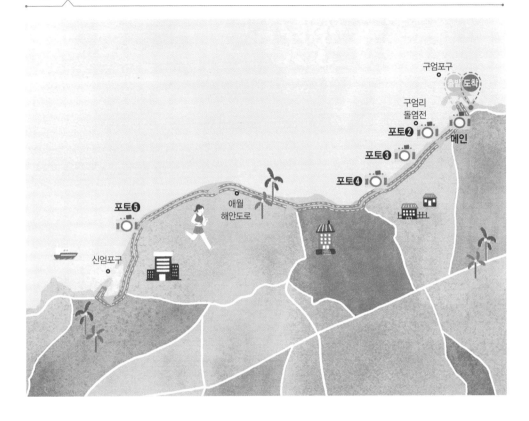

구엄포구

출발 도착

구엄리
돌염전

포토②

메인

포토③

포토④

포토⑤

애월
해안도로

신엄포구

출발 --- 도착

구엄포구 ＞ 구엄리돌염전 ＞ 신엄포구 ＞ 원점 복귀

COURSE TIP

1　출발은 도보 길, 돌아올 땐 올레길을 달리면 두 개의 매력을 동시에 느낄 수 있어요.

2　올레길 곳곳에는 큰바위얼굴, 항몽유적지 등의 포인트가 많아요. 구경하며 달려요.

3　올레길의 새소리를 음악 삼아 들으면 힘이 나요.

4　힘이 들면 코스 중간에 놓여 있는 벤치에 앉아 풍경을 바라보며 잠시 쉬어요.

CAUTION

1　바닥에 돌이 많으니 발 디딤에 유의해요.

2　인도가 있지만, 드라이브 구간이라 앞뒤 차량에 주의해요.

3　숲이 우거진 올레 구간도 있어요. 머리 위 나뭇가지를 조심해요.

달리기 습관을 위해 매일 100일을 달린 **이소라 님**

이소라 님은 자신의 한계를 뛰어넘기 위해 수영과 자전거, 달리기를 연달아 하는 철인 3종에 도전했다. 수영과 자전거는 꾸준히 했기에 달리기만 하면 되지만 달리기를 싫어했던 그녀라 쉽지만은 않았다. 어떻게 잘 달리느냐는 물음에 '매일' 달리라는 답변을 얻었고, 그래서 정말 매일 아침 7시에 일어나 5㎞를 달렸다. 기록에 연연하지 않고 5㎞를 달리며 매일의 습관을 만들었다. 그렇게 100일이 되었고, 그녀도 모르게 자연스럽게 내 의지로 습관을 만드는 리츄얼Ritual을 이끌어 낸 것이다.

그녀는 구엄리에서 시작해 고내리까지 이어지는 해안도로를 달린다. '엄장해안길'이라 불리는 해안누리길이 조성되어 포구와 해안도로, 숲길까지 구경하는 재미가 있다. 오르락내리락, 보일 듯 말 듯한 절벽 아래의 애월 바다는 유럽의 해안 도시처럼 아기자기한 분위기를 풍긴다. 포구와 포구 사이를 달리니, 저 멀리 보이는 등대를 목표로 삼으면 시간 가는 줄 모른다. 흙길은 지루함을 덜어 주며 위험한 구간은 데크 길이 조성되어 안전하다. 철인 3종에는 세 개의 종목이 있다. 누구나 잘하는 종목이 있다면 분명 자신 없는 종목도 있다. 그런데 우리는 자신 있는 것만 하는 경향이 있다. 그녀가 그랬던 것처럼 자신 없는 것도 매일의 습관을 만들어 해 보는 건 어떨까? 못하기 때문에 하기 싫은 거라면 잘할 수 있도록 익숙해지면 된다. 운동을 안 하는 사람도 걷기부터 시작하면 결국 달리듯 그녀는 많은 사람이 달리는 재미를 느껴 보길 바라고 있다.

놀멍   LET'S ENJOY

구엄리돌염전   400년 역사의 염전

넓고 평평한 현무암 위에서 소금을 생산하는 천연 염전으로 '너럭바위'를 뜻하는 '빌레'와 합쳐 '소금빌레'라고도 불렸다. 바위 위에 찰흙으로 작은 벽을 쌓은 후, 그 안에 고인 바닷물이 햇빛에 마르며 소금이 만들어지는 방식으로 그 당시 소금빌레의 규모는 1,500평이며 소금의 양은 1년에 17톤에 달했다. 400년 가까이 구엄리 주민들의 생계 수단이었다. 지금은 소금을 생산하지 않지만, 염전 일부를 복원하고 돌염전의 유래와 소금의 생산 방법 등 안내판을 설치해 관광지가 되어 준다.

◉ 제주시 애월읍 애월해안로 708

제레미   마음마저 차분해지는 고요한 카페

작은 규모의 1인 카페로 온전히 커피의 맛과 향에 집중할 수 있다. 얼음 없는 차가운 우유에 더블샷이 들어간 제레미커피Jeremy Coffee가 대표 메뉴. 취향에 따라 따뜻한 스티밍이나 시원한 아이스도 가능하다. 제주의 햇살이 스테인드글라스에 비추면 커피 위로 쏟아 내리는 무늬가 마음마저 평온하게 만든다. 작은 카페에 울리는 커피 내리는 소리 또한, 원두의 풍미에 젖어들게 한다.

◉ 제주시 애월읍 애월로 106-1   ☎ 070.7717.6857

Editor's TIP

구엄리 돌염전 옆 현무암지대에는 우뚝 선 현무암 시스택이 있어요.
안전하게 뒤쪽으로 돌아 올라가서 사진을 찍으면 인생 샷을 남길 수
있어요.

바다와 가장 가까운 해안 산책길

#한담해변길 #곽지해수욕장 #올레길15코스

한담   3.5km

"파도 소리가 가장 가깝게 들리는 해안도로에요.
파도가 만드는 소리를 들어 보세요."

- 난이도   하
- 러닝 시간   30분
- 워킹 시간   50분
- 주소   제주시 애월읍 곽지리 1568

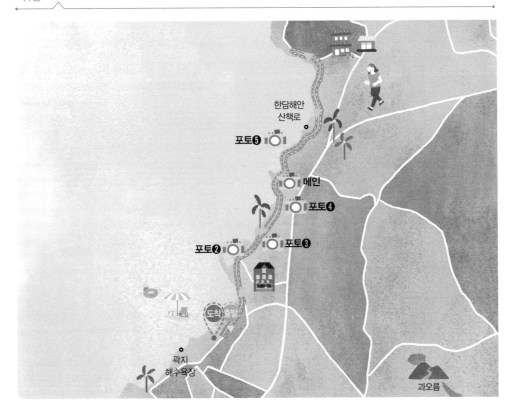

한담해안
산책로

포토❺

메인

포토❹

포토❷

포토❸

도착 출발

곽지
해수욕장

과오름

 곽지해수욕장 ＞ 한담해안산책로 ＞ 애월카페거리 ＞ 원점 복귀

COURSE TIP

1 바닷가 근처라 바람이 많이 불어요. 겉옷을 입어요.

2 해 질 녘에 달리면 붉은 바다를 향해 달릴 수 있어요.

3 곽지해수욕장 야영장에서 캠핑을 즐길 수 있어요.

4 애월 근처는 주차 공간이 많지 않으니 곽지해수욕장 주차장을 이용해요.

CAUTION

1 현무암으로 만든 산책길에서 발이 걸리지 않도록 집중해요.

2 길이 좁아요. 보행자를 위해 천천히 속도를 줄여요.

3 산책로 너머는 위험해요. 바다 가까이에 다가가지 않아요.

4 해상 기상 악화와 폭풍 시에는 안전을 위해 출입하지 않아요.

고향이 좋아 육지에서 바다로 다시 돌아온 **강주연 님**

제주에서 태어난 강주연 님은 중학생이던 15살, 빌딩 숲 가득한 서울로 전학을 갔다. 그제야 제주도가 얼마나 아름다운 곳인지 깨닫고 늘 제주도로 돌아가고 싶다는 마음을 품었다. 그녀는 성인이 되고 친구와 함께 제주 살기를 결심했다. 다시 돌아온 제주는 역시나 아름다웠다. 매일 아름다운 색으로 물드는 하늘과 바닷가를 걷고 달리다 보니 방학 동안만 살기로 했던 제주살이가 어느새 2년을 훌쩍 넘겼다. 달리기를 포함한 모든 운동을 좋아하지만, 그중 가장 많이 하는 것은 달리기. 운동화만 있으면 시간과 공간 제약 없이 어디든 달릴 수 있다는 점이 좋다. 밤에도 아침에도 언제나 달리기 좋은 그녀의 러닝 코스를 소개한다.

한담 러닝 코스는 곽지해수욕장을 출발해 애월 카페거리까지 이어지는 해안도로를 달린다. 올레길15코스인 만큼 잘 정비되어 있고 바다를 따라 볼거리 가득하다. 달리는 내내 아름다운 제주도의 바다를 곁에 두고 달릴 수 있다. 물론 불어오는 바닷바람은 각오해야 하지만 끝없이 펼쳐지는 바다를 바라보면 나도 모르게 속이 뻥 뚫리는 기분이다. 요리조리 굽이진 해안도로를 달리는 재미와 함께 저 너머엔 무엇이 있을까 하는 기대감으로 지치지 않게 달릴 수 있다. 또한, 봄이 오면 노란색의 유채꽃이 검은 현무암과 파란 바다와 조화를 이뤄 꽃 내음까지 풍긴다. 애월의 카페거리를 방문할 계획이라면, 한담의 해안도로를 달리자. 거닐어도 좋다. 커피 향이 더욱 깊게 자리 잡을 것이다.

놀멍 LET'S ENJOY

한담해안산책로   절벽과 파도, 유채꽃밭이 어우러진 산책로

한담해변에서 곽지해수욕장까지 해안을 따라 이어지는 1.2㎞ 길이의 산책로이다. 주변 현무암과 바다 등의 자연환경과 조화를 이룰 수 있도록 조성되었다. 산책로 바로 옆에는 닿을 듯한 바다가 굽이치고 있어 파도 소리를 들으며 걷노라면 애월의 바다와 가까워지는 기분이다. 차가 오가지 않아 안전하며 주변 카페거리에는 많은 카페와 식당이 들어서 있어 애월 바다를 보며 차 한 잔의 여유를 즐길 수 있다.

◉ 제주시 애월읍 곽지리 1359

고불락   제주 집밥이 그리운 고등어조림

고불락은 숨바꼭질을 뜻하는 제주도 방언으로 골목 사이에 숨은 맛집이다. 이곳의 인기 메뉴는 '고등어조림 가족세트'. 소화에 좋은 효소 밥이 쌈에 싸여 있어 아이도 재미있게 먹을 수 있다. 강된장에 조린 고등어조림은 달짝지근하면서 쫄깃하고, 돼지를 으깨 넣은 김치찌개는 콩비지처럼 걸쭉한 제주 현지식이다. 입맛대로 한 쌈을 만들어 들깨 소스에 찍어 먹으면 잊을 수 없는 맛이다.

◉ 제주시 애월읍 고내로7길 45-12   ☎ 0507.1400.0393

Editor's TIP

한담해변 산책로에는 조선 대표 표류기인 『표해록』의 작가 장한철의 생가가 있어요. 해양문학의 백미라 불리는 만큼 방문하면 더욱 의미 있는 런트립이 될 거예요.

제주에는 지역과 요일별로 다양한 러닝크루가 달리고 있습니다.
제주를 더 깊이 알고 싶고, 혼자 하는 여행이 지루해졌다면
크루에서 운영하는 정기 러닝에 함께 참여해 보세요.
인스타그램 메시지를 통해 참가 문의 후, 누구나 함께 달릴 수 있습니다.

 64WAVE

매주 화요일 저녁 8시, 64WAVE 러닝크루는 제주시 곳곳을 달립니다. 제주도의 지역번호 064의 '64'와 제주 용담 해안도로의 파도 모습, 'WAVE'가 더해 만들어진 64WAVE와 함께 즐겁고 다양한 제주의 해안가를 만나 보세요.

@64wave

 ALIVEJEJU

매주 목요일 저녁 8시 30분, ALIVEJEJU는 건강한 러닝 문화를 위해 누구든 함께 달릴 수 있도록 그룹을 나눠 제주시 곳곳을 달립니다. 밤바다를 벗 삼아 제주를 가득 느끼고 싶다면 ALIVEJEJU와 달려 보세요.

@alivejeju

 서러크 서귀포러닝크루

매주 수요일 저녁 8시, 서귀포의 랜드마크인 새연교에 모여 서귀포를 달립니다. '제주 4·3 달리기' 캠페인을 통해 우리나라의 역사를 알리기도 하니 서귀포를 달리며 그들의 아름다운 달리기에 동참하고 싶다면 함께 참여해 보세요.

@seogwiporc

 TEAM240JEJU

매주 일요일 저녁 8시, 제주 곳곳을 달리는 TEAM240JEJU는 제주도의 해안도로 약 240㎞를 따라 달린 '제주일주런' 프로젝트를 기반으로 만들어진 러닝크루입니다. 다양한 이벤트에 참여하고 다양한 도전을 이어 가고 싶다면 언제든 동참하세요.

@240jeju

 [N.R.C]신제주 러닝크루

매주 수요일 저녁 8시 30분, 신제주를 달리는 신제주 러닝크루는 처음 달리기를 시작하는 누구나 즐겁게 달릴 수 있도록 요가런, 맥주런 등 재미있는 방법으로 달립니다. 그룹을 나눠 천천히, 그리고 함께 달리니 20300라면 주저 말고 신제주 러닝크루와 함께 달려 보세요.

@nrc_jeju

제주 코샷 JEJU COSAT

매주 일요일 저녁 8시 30분, 애향운동장에서 코어운동과 요가 등 맨몸 운동을 하고 매주 수요일 저녁 8시 30분, 이호 근처에서 함께 달립니다. '기분이 좋고 만족스럽다'는 뜻의 제주 사투리 '코샷'처럼 모두가 주인인 커뮤니티에 언제든 자유롭게 참가해 보세요.

@jeju_cosat

제주러닝크루

매주 목요일 저녁 7시 40분, 20300 함께 모여 달리는 제주러닝크루는 뛰멍치우멍(쓰담달리기)과 오름 트레일러닝, 원도심 살리기 캠페인 등 다양한 주제로 달리기를 이어 가는 크루입니다. 의미 있고 특별한 달리기를 원한다면 제주 러닝크루와 함께 만들어 보세요.

@jeju_runningcrew

변동 사항에 대해 제보하실 내용이 있으시면
booknamu2007@naver.com로
연락 주시기 바랍니다.

제주도 안전 달리기
여행 가이드

반드시 마스크 착용하기

나와 우리의 안전을 위해 마스크는 반드시 착용하고 달려요. 단, 마스크 착용 시, 습기로 인해 갈증을 쉽게 느끼지 못할 수 있으니 주기적으로 물을 섭취해요.

개인 방역 철저히 지키기

손 소독제를 일상화하며 개인위생 수칙을 지켜요. 또한, 발열이나 근육통 등 몸 상태를 확인해 무리해서 달리지 않아요.

2m 거리 두기 유지하기

많은 인원이 모여 달리기보다는 소규모 러닝을 추천해요. 그리고 여행 시점의 거리 두기 단계에 따른 인원수를 반드시 지켜 여행해요.

여행지 방문 전 확인 필수

코로나19 확산 방지를 위해 영업시간 및 휴무일이 변동되거나 예약제로 변경될 수 있어요. 방문 전 사전에 꼭 확인해요.

출입 명부 작성 및 QR코드 체크인하기

식당이나 카페, 관광지 등의 시설을 이용하기 위해서는 체크인이 필수예요.

개인 차량이나 렌터카 이용하기

대중교통보다는 개인 차량이나 렌터카를 추천해요. 차량 이용 시에는 창문을 열어 주기적으로 환기하며, 부득이하게 대중교통을 이용할 시에는 거리 두기를 유지하며 음식을 섭취하지 않도록 해요.

여유로운 마음을 갖고 달리기

산책로는 공유 공간이자 모두의 여행지예요. 앞서 걸어가고 있는 보행자에게 미리 양해를 구하거나 지나친다는 신호를 보내 보행자가 놀라지 않도록 주의하며 양보하는 에티켓이 필요해요.

적절한 옷과 장비 갖추기

제주는 기상 상황이 수시로 변경될 수 있어요. 갑자기 비가 내리거나 기온이 떨어질 수 있으니 여름이라 할지라도 늘 바람막이를 소지해요. 또한, 흙길이나 자갈길이 섞여 있을 수 있으니 반드시 미끄러지지 않는 러닝화나 트레일러닝화를 신어요.

물과 간식을 소지하기

도심에서는 어디서든지 물과 간식을 쉽게 구할 수 있지만, 제주에서는 급한 상황에 대처하기 쉽지 않아요. 달리기 전에는 든든히 배를 채우고, 미리 화장실을 이용하며, 작은 물을 챙겨 나가는 것이 안전해요.

이어폰으로 음악을 듣지 않기

이어폰을 꽂고 달리면, 주변에서 들려오는 위험 상황을 감지할 수 없어요. 달리기에 집중하고 안전을 위해 음악 대신 자연을 소리를 들어 보세요. 바람과 나무, 꽃과 흐르는 물소리를 듣다 보면 달리기의 재미는 배가될 거예요.